Biografien om *Knut Hamsun*

Guddommelig galskap

Øystein Rottem

Biografien om Knut Hamsun
Guddommelig galskap

Revidert av Lars Frode Larsen

GYLDENDAL

© Gyldendal Tiden ANS, Oslo 1998
2. reviderte utgave © Gyldendal Norsk Forlag – Gyldendal Barn & Ungdom 2006

Design: Merete Berg Toreg
Sats: Elektronisk Informasjonsbehandling AS
Trykk: Tlaciarne BB s.r.o, Slovakia 2006
Papir: 90 g. offset (1,25)
Boka er satt med Adobe Garamond 12/16

Foto:
Familien Hamsun s. 98, 124; Norsk Folkemuseum/A.B. Wilse s. 77;
NTB s. 133; Oslo Bymuseum s. 23; Scanfoto/K.W. Gullers s. 137;
Astrid von Streng s. 33
De øvrige bilder er fra Gyldendals arkiv

Omslag: Portrett av Knut Hamsun, malt av Alfredo Andersen i 1891.
Foto: Jacques Lathion/Nasjonalmuseet for kunst, arkitektur og design.

ISBN-10: 82-05-35468-5
ISBN-13: 978-82-05-35468-5

Innhold

Forord

av Øystein Rottem

Knut Hamsuns liv er som en roman, påstod en norsk litteraturhistoriker allerede i 1897. Da hadde Hamsun ennå 55 år igjen å leve.

Og det er riktig at Hamsuns liv var spennende og dramatisk, selv om han tilbrakte store deler av det ved skrivebordet. I denne boka har jeg forsøkt å få fram så mange sider av personen Hamsun som mulig. Jeg har fulgt ham fra den dag han ble født, og fram til den dag han døde. Episoder fra så godt som hvert eneste år han levde, er tatt med, og jeg har forsøkt å ordne dem slik at de til sammen danner en historie, en fortelling om Hamsuns liv.

Alle episodene som er gjenfortalt i denne boka, har funnet sted – om enn ikke nødvendigvis akkurat slik jeg har beskrevet dem.

Mange steder later jeg som jeg vet hva Hamsun tenkte på bestemte tidspunkt. Jeg vet selvsagt ikke hva han tenkte. Men framstillingen bygger på brev som Hamsun har sendt, på notater og artikler av ham, på skrevne kilder fra mennesker som kjente ham – og i noen enkelttilfeller på skjønnlitterære verker som det er all grunn til å tro har et selvbiografisk innhold. I det store og hele er det derfor en sann historie som fortelles, selv om det kan være detaljer som ikke stemmer. Her og der har jeg tillatt meg å bruke min fantasi, dikte litt videre på det vi med sikkerhet vet, for å skape mer flyt i framstillingen og gjøre den mer levende. Hamsun har kanskje ikke tenkt akkurat de tankene jeg har latt ham tenke, men de er alle hentet fra de kildene jeg har brukt under arbeidet med boka. Ofte har jeg sitert Hamsun direkte, andre ganger har jeg brukt mine egne ord. Uansett har jeg forsøkt å legge meg så tett som mulig opp til det faktiske liv.

Jeg har lagt vekt på de ytre hendelsene, men det har vært vel så viktig for meg å tegne et bilde av *mennesket* Hamsun, å få fram hva slags personlighet han var, og hvilke karaktertrekk han hadde. Det er derfor jeg har gått så nøye inn på hans tanker og følelser. Jeg har forsøkt å vise hvordan han ble den han ble, og hvilke opplevelser som formet ham – uten å gi noen klare svar og uten å opptre som psykolog. Snarere har jeg forsøkt å se ham innenfra og leve meg inn i hans verden.

Hamsun var en sammensatt person med mange motstridende ønsker og karaktertrekk. Han var sosial og omgjengelig, men også sky og innadvendt. Han var en spillernatur, og det var ikke alltid like lett å bli klok på ham. Han hadde sterke meninger, men ofte tok han ekstra sterkt i for å provosere sine lesere og tilhørere. Jeg har forsøkt å få fram konfliktene og motsetningene i Hamsuns karakter. Jeg har satt dem på spissen, og jeg har forsøkt å gå bak de maskene han ofte skjulte seg bak – inn til de motivene og kreftene som dypest sett drev ham.

Hamsun levde et omskiftelig liv, men det er ikke dette som er grunnen til at så mange har vært opptatt av ham. Hamsun var *dikter* – mange vil mene den største i Norge ved siden av Ibsen. *Det* er hovedårsaken til at vi også finner hans liv så interessant. Og skal vi til bunns forstå ham, er det nettopp det vi må ha klart for oss. Til tider rakket han ned på litteraturen. Likevel befant han seg gjennom hele sitt liv i dikterdemonens vold. Når denne demonen kalte, måtte alle andre hensyn vike. Å forstå Hamsun er derfor det samme som å forstå dikteren Hamsun. Dikteren og mennesket er ett. Det er altså en nær sammenheng mellom liv og diktning. Dermed er det ikke sagt at vi kan gå til bøkene hans for å få vite noe om hans liv. Nei, det meste han har skrevet er ren fiksjon. Men bøkene hans vrimler av personer som på ulikt vis har en rem av Hamsuns egen hud. I bøkene har han iscenesatt sine egne konflikter og spenninger. På *den* måten er de de viktigste kildene til hans liv.

I denne boka har jeg forsøkt å få fram sammenhengene mellom liv og diktning – først og fremst gjennom den måten jeg har fortalt historien om Hamsuns liv på. For det er og blir dikteren Hamsun som er det viktigste. Hans liv lignet kanskje en roman, men livet kan ikke måle seg med de romanene han skrev. Fra jeg leste *Landstrykere* som tolvåring, har jeg vært dypt fascinert av Hamsuns diktning. Jeg håper at jeg i det som følger har klart å få fram noen av grunnene til denne fascinasjonen.

*

I denne nyutgaven av Øystein Rottems bok er noen faktafeil blitt rettet opp og enkelte språklige presiseringer og innstramninger foretatt. Dessuten er fortegnelsene over Knut Hamsuns verker og litteraturlisten med «Tips for videre lesning» ført à jour.

Lars Frode Larsen

I

I eventyret (1859–1879)

Klærne er mørke. Ansiktene strenge. Hendene foldet.

De sitter spredt rundt i stua. I midten står en gutt på tolv–tretten år og leser høyt fra *Bibelen*. Stemmen er klar, setningene lange og harde. De summer omkring i hodet og tar nesten pusten fra ham.

Det er søndag og en blodrød sol tar til å dale ned mot fjorden. En hund bjeffer vest i åsen, i øst spiller en orrhane. To kamerater venter på ham ute på gårdsplassen. Solstrålene danser over boksidene, mens timene snegler seg av sted. Kvelden nærmer seg, og de siste strålene blinker rødt i vindusruta. Gutten vet at leken er over, og at kameratene er på vei hjem. Alt er stille. Bare ordene gir gjenlyd i veggene.

Trist til mote vender han det siste bladet.

*

Slike søndager var det mange av i Knut Hamsuns barndom. Fra han var ni år gammel bodde han i perioder hos en morbror, og fra han var tolv til han nærmet seg femten bodde han fast der. Hans Olsen het denne morbroren. Han var forpakter og stod for driften av prestegården i Hamarøy i Nordland. Ved siden av drev han med handel, hadde ansvaret for folkebiblioteket og var postbestyrer på stedet.

Hans Olsen var en hissig, streng og dypt religiøs mann som samlet folk i bygda til oppbyggelsesmøter hjemme hos seg. Årene hos Hans var vonde år. Onkelen var en gjerrigknark, og han unnet knapt Knut maten. Han var ungkar. Barn forstod han seg ikke på. Leik og moro var fremmedord i hans hus.

Den unge nevøen ble satt til å utføre alt slags arbeid. Han kløyvde ved, bar vann, stelte i fjøset og gikk med posten. På skolen var han kjent for å ha en pen håndskrift, og den kom godt med når han skulle føre postboka for Hans. Men det hendte at det glapp. Morbroren stod over ham med en linjal og voktet på hvert eneste ord. Skrev Knut feil, slo han ham over fingrene så blodet fløt.

Knut beit tennene sammen og kjente hatet til plageånden vokse. Slagene kunne han leve med; det verste var ensomheten. Han følte seg innesperret og opplevde prestegården som et fengsel. Noen ganger så han sitt snitt til å stikke seg vekk uten å spørre om lov. Da la han veien opp i skogen eller ned til Glimma – havstrømmen som suste dag og natt, sommer som vinter. Eller han gikk bort på kirkegården. Det var lykkelige stunder, men han visste at de ikke kunne vare lenge, han visste at han snart måtte begi seg hjemover. Det var ingen vei utenom. Ble han borte, ville Hans saktens klare å spore ham opp og sørge for å få brakt ham innenfor murene igjen.

Eller fantes det likevel utveier?

*

Øksa er nykvesset. Bjørkekubben ligger på hoggestabben. Knut svinger øksa i været, hogger til. Eggen sneier stabben, rammer leggen, skjærer seg gjennom vadmelsbuksa, helt inn til skinnbeinet.

Det var ikke et uhell. Knut hadde selv planlagt å styre øksa i feil retning. Dagen i forveien hadde vært ekstra ille. Morbroren hadde vært etter ham hele tiden – med strenge ord og harde slag. Om natta slo en desperat tanke ned i Knut. Enn om han kom til skade på et eller annet vis? Da kunne vel ikke morbroren ha bruk for ham mer? Da kunne han vel få lov til å komme hjem til far og mor?

Han hadde forsøkt seg før. Tidlig en blåsende vintermorgen, før de andre på gården var stått opp, hadde han stukket av gårde og lagt i vei nordover til den lille stua i Hamsund der foreldrene bodde. Men stormen og frosten hadde overmannet ham. Han hadde måttet søke ly under en berghammer. Her ble han funnet senere på dagen, forfrossen og elendig, og brakt tilbake til prestegården igjen.

Og han hadde gjentatt forsøket. Flere ganger. En gang hadde han faktisk kommet seg helt hjem, men Hans hadde hentet ham uten at foreldrene hadde protestert.

Alt var til ingen nytte. Alt var håpløst.

Men nå faller øksa. Knut vakler, tumler om kull, skriker. Tjenestejenta kommer styrtende til. Det blir et svare oppstyr. Han får bandasje på beinet og blir lagt i seng. Ikke et trøstens ord fra Hans Olsen.

Etter få dager satt Knut med postboka igjen. Selv med et skadd bein kunne han føre *den*, men da såret var grodd, ble han kommandert tilbake til vedskjulet igjen.

*

Slik hadde det ikke alltid vært. Årene før han kom i onkelens tjeneste, hadde vært en fin tid. Det var en spinkel trøst at han delte skjebne med mange andre barn i 1860-årenes Norge. Ute på bygdene var det ganske normalt at åtte–ti-åringer ble sendt hjemmefra og satt i tjeneste hos fremmede. De skrinne jordlappene til husmenn og småbønder var ikke mye å bli fete av, og det var trangt om plassen og mange munner å mette i de fleste familier. Det var det også hjemme hos foreldrene til Knut. Det var Hans Olsen som hadde skaffet til veie gården i Hamsund, og etter datidens normer var det både rett og rimelig at familien gikk med på at Knut arbeidet for Hans som takk for dette. Samtidig var det til hjelp for familien. Så lenge Knut bodde hos morbroren, var det en munn mindre å mette på Hamsund. Derfor kunne det ikke nytte å protestere. Knut måtte av sted.

Faren til Knut, Peder Pedersen, kom fra Gudbrandsdalen, i likhet med mora, Tora Olsdatter Garmotrædet. Da de ble gift, bodde de i Lom. Her drev Peder et gårdsbruk samtidig med at han reiste omkring som skredder. Men tidene var trange i de indre bygdene på Østlandet. Blant gudbrandsdøler gikk det rykter om at dyktige folk kunne få det bedre i Nord-Norge. Hans Olsen var en av flere som hadde dratt – til Hamarøy i Salten, rett sør for Vestfjorden. Og det var han som satte Peder og Tora på tanken om å følge etter. Da han tilbød dem å overta driften av et lite småbruk han hadde kjøpt, var saken klar.

Per og Tora pakket sammen det lille de hadde av jordisk gods, og satte kursen nordover sommeren 1862.

*

Det skal seige tak til. Årene dyppes og løftes igjen. Det er såvidt plass til alle i båten. Foruten Tora og Per og de fem ungene sitter Toras gamle foreldre der.

Båten basker sakte innover fjorden mot Hamsund. Det er høysommer, sankthansaften, og vakkert solskinnsvær. Barn og voksne stirrer opp mot Hamarøyskaftet som rager opp i den blå himmelen. Om godt en måneds tid fyller Knut tre år.

Han ble født 4. august 1859. Fra årene i Lom kunne han senere huske lite eller intet. Nord-Norge og Hamarøy var barndommens landskap, og dette landskapet kom han aldri til å glemme. Det var her han mottok de inntrykkene som skulle komme til å forme hans voksne liv. Minnet om naturen og menneskene her bar han med seg da han begav seg ut i verden. Hit lengtet han senere tilbake – tilbake til barndommens rike, som i Knuts tilfelle både hadde sine lyse og sine mørke sider.

*

Bardomshjemmet i Hamsund, Hamarøy.

Flyttingen til Hamarøy førte ikke store forandringer med seg. Det var det samme slitet her som det hadde vært i Lom. Særlig bedre råd fikk familien heller ikke. For å få endene til å møtes måtte Peder og Tora streve fra morgen til kveld. Barna måtte også tidlig ta sin tørn. Annerledes kunne det ikke være. Slik var det i alle familier.

Som treåring manglet ikke Knut noe. Han fikk den maten han trengte, trivdes og vokste og diltet i beina på faren. Etter hvert ble han satt til små oppgaver som passet for alderen. En lykkelig tid i enkle kår i en landsdel med lange og mørke vintrer, lette og lyse somrer.

Sommeren var Knuts årstid. Høy himmel. En sol som aldri gikk ned. Evig dag. Fjell og vidder. Sus fra havet. Det var trangt om plassen i stua på Hamsund, men ute var det tumleplass nok – luft, rom, utsyn til alle kanter, et fritt liv for en nysgjerrig guttunge som Knut.

Faren kunne være streng, men barna på Hamsund fikk sjelden juling. Dessuten var han ofte hjemmefra. Også her reiste Per omkring som skredder. Når han var hjemme, hadde han dessuten mer enn nok å se til. Barna måtte passe seg selv. De streifet omkring på egen hånd og gikk på oppdagelsesferd i skog og mark. I naturen var Knut sin egen herre. Her var han fri.

*

Knut tumler inn døra. I stua sitter morfaren. Han tar barnebarnet på fanget. Knut elsker å høre ham fortelle historier fra gamle dager.

– Du har litt av hvert å slekte på du, gutten min, sier morfaren. – Faren din kom rettnok fra en liten husmannsplass i Vågå, og bakover i tiden var det visst heller ikke så mye å skryte av. Men mora di, hun har anene i orden, hun. Du må tro meg på mitt ord, men vi stammer faktisk i direkte linje ned fra Olav den hellige, han som kristnet Norge, vet du. På et av toktene sine drog han med hæren sin gjennom Gudbrandsdalen. Og nå skal du bare høre …

Så kom den ene historien etter den andre – om rikdom og karsverk. Forfedrene hadde vært storbønder og mektige karer. Men morfaren måtte innrømme at det hadde gått nedoverbakke med slekta. Uansett elsket den lille Knut disse historiene.

Morfaren påstod at han holdt seg til sannheten. Det påstod også en annen person som av og til underholdt med historier i stua på Hamsund. Men Knut trodde mindre på morbror Ole enn han gjorde på bestefaren.

Toras andre bror, Ole, var en helt annen type enn Hans. Han flyttet til Hamarøy med kone og barn i 1868 og slo seg ned en tre kilometers vei fra Hamsund. Ole var et kapittel for seg. De andre i familien var flittige og gud-fryktige folk. Ole tok det ikke så nøye. Han var en døgenikt, mente mange. I alle fall var han ikke i stand til å holde på en jobb. Drakk gjorde han også, og han stod i med kvinnfolk, ikke bare ett, men flere – på samme tid! Han var blitt far til fire barn med fire forskjellige kvinner før han endelig giftet seg med en femte. Med henne fikk han fire barn til. En landstryker var han – på alle vis – og dessuten en skrønemaker av verste slag. Han slo skrøner så det luktet svidd og diktet opp de villeste historier – gjerne med seg selv i hovedrollen. Knut var både rystet og fascinert.

Da Knut flyttet til den andre onkelen, var det slutt på historiene. Hos for-pakteren på prestegården holdt man seg til fortellingene i Bibelen.

*

Sent på våren i 1874 flyttet Knut hjem til foreldrene igjen. Men han ble ikke der mange ukene. Denne gangen drog han hjemmefra av egen fri vilje.

I juni satte han seg ned og skrev et brev til Torsten Hestehagen i Lom. Torsten var en venn av familien. Han hadde stått fadder til Knut, og nå drev han en liten landhandel. Knut bad om reisepenger, og Torsten sendte ham pengene. Helt alene la den 14-årige Knut ut på den lange reisen fra Hamarøy til Lom. Her ble han satt til å arbeide i gudfarens butikk.

Hos morbroren hadde han hatt for vane å drømme seg vekk og fantasere seg til et annet liv enn det han levde. Han hadde lært av Ole. Som ham diktet han opp fantasifulle historier med seg selv i hovedrollen. Men først da han kom til Lom, tok han til å skrive disse historiene ned. En drøm var i ferd med å ta form. Knut ville bli dikter!

*

4. oktober 1874 stod Knut konfirmant i Lom kirke.

Hvilke planer hadde han egentlig for framtiden – bortsett fra dikterdrømmene? Han var akkurat fylt femten, men den gang ble man både regnet for, og behandlet som, en voksen arbeidskar når man var kommet i den alderen. Og foreldrene syntes da også at det var på tide han valgte seg et yrke. Morbror Ole var et skrekkens eksempel. Knut måtte ikke bli en slik lasaron og farende fant som ham.

Knut trivdes godt i Lom og likte seg i jobben som handelsbetjent. Men etter en stund kom han på kant med gudfaren. Likevel ville ikke Torsten gi slipp på ham. Det falt harde ord, men Knut var ikke lenger den som lot seg kue. Årene hos Hans Olsen hadde ikke knekket frihetstrangen hans. Tvert imot hadde de gitt ham en ekstra sterk sans for det frie og selvstendige liv. Den gang hadde han latt seg herse med, men nå var han gammel nok til å si fra og følge sin egen vilje.

Motvillig gav Torsten den unge betjenten de pengene han trengte til hjemreisen.

Konfirmanten Knut.

15

Vel hjemme var ikke Knut sen om å skaffe seg et nytt arbeid igjen. Han hadde fått smak for livet som butikkbetjent. Nå søkte han og fikk en stilling hos handelsmann Walsøe på Tranøy.

*

Det er liv og glade dager. Knut øser opp sirup, skjærer ruller med skråtobakk, løper i kjelleren etter salt og tjære. Stiv og strunk står han bak disken og veier og måler. Det er et stadig renn av folk, og Knut har øyne og ører med seg.

Denne jobben *kan* han, og han liker den også. Han blir behandlet som en voksen arbeidskar, og han føler seg voksen, men at han driver og skriver dikt og fortellinger om kveldene, det holder han hemmelig for de fleste – bortsett fra en kamerat, da, som synes Knut er svært til kar når han leser opp historiene for ham.

Knut har dessuten lurt på om han skal fortelle Laura, handelsmannens datter, hva han driver med om kveldene. Han tror nok at hun er litt forelsket i ham, for titt og ofte gjør hun seg et ærend i butikken. Og etter hvert har de

Knut (t.h.) som selvbevisst ung handelsbetjent på Tranøy.

også begynt å se hverandre når han har fri, ja, de er vel blitt for en slags små-kjærester å regne – selv om faren hennes setter lite pris på akkurat det.

Men det *er* henne han har i tankene når han sitter og skriver – *det* kan han ikke legge skjul på, i alle fall ikke overfor seg selv.

*

Tranøy ligger på nordspissen av Hamarøy, like ut mot Vestfjorden og med ut-sikt mot den majestetiske Lofotveggen. På denne tid var handelsstedet her et viktig sentrum i Salten. Hit kom fiskerne med skrei fra Lofoten og sild fra Vestfjorden. Stedet hadde los, dampskipsanløp, telegrafstasjon – og et fyrtårn som stod ute i havgapet og blinket. Walsøe eide også flere fiskeberg der tor-sken ble tørket, og holmer som folk drog til for å sanke ærfugldun.

Knut stortrivdes på Tranøy. Likevel reiste han derfra allerede før året var omme. Han ble oppsagt. Walsøe fikk problemer med økonomien, og de sist ansatte måtte forlate stedet først. Walsøe så heller ikke med blide øyne på for-holdet mellom Knut og Laura. Handelsmannens datter og en fattig bondegutt – det var en upassende forbindelse.

*

Kort tid etter at Knut hadde lagt Laura og Tranøy bak seg, møtte han en gam-mel kjenning fra Lom. De slo seg sammen og flakket omkring som kramkarer. I skreppene hadde de alt fra sytråd og silketørklær til urkjeder og hefter med trykte viser og fortellinger. De kom til ukjente bygder – til steder som sjelden fikk besøk av utenbygds folk. Folk handlet, eller de handlet ikke. Penger var mangelvare i bygdene, men det var da en og annen som hadde en skilling eller to å avse. Uansett var det stor stas når Knut og kameraten dukket opp.

De to kramkarene fant også veien til større steder, til byer som Bodø og Tromsø. Her var det liv og røre. På det årlige markedet i Stokmarknes i Lofoten gikk det særlig livlig for seg – med klokkeselgere, gjøglere, lirekasse-menn. Her satt pengene løsere i folks lommer. Her gikk handelen strykende, og Knut og kameraten kunne legge stedet bak seg med tom ryggsekk og skil-linger i lomma.

Knut hadde fått vandrelysten i blodet. Han var blitt en landstryker, en mann som var hjemme overalt og ingen steder. Nå var han en fri mann. De to kramkarene var sine egne herrer; de hadde ingen arbeidsgiver som kommanderte dem hit eller dit. De bestemte selv hvor de skulle dra hen, og når de skulle dra.

De traff folk av alle slag: bønder og fiskere, skreddere og skomakere. Det var en god læretid for den kommende forfatteren. Han sugde inntrykk til seg og lærte landsdelen å kjenne. Og han leste – alle de aviser og bøker og skrifter han kom over. Nå begynte han også for alvor å skrive selv – dikt og fortellinger. Han ble mer og mer oppslukt av tanken på å få dem trykt. Hvilken lykke ville det ikke være å se sitt eget navn på forsiden av en bok!

*

Det hendte at Knut la veien om den lille stua i Hamsund, og i flere perioder bodde han hjemme. Faren var ikke blid på ham. Han lekset opp for Knut. Nå måtte han se til å skikke seg, skaffe seg et ordentlig arbeid og slutte å flakke formålsløst omkring. Høsten 1876 fikk foreldrene overtalt Knut til å begynne i lære hos en skomaker i Bodø. Her var Knut flittig og samvittighetsfull, men skomakerlærlingen ble ikke lenge ved sin lest. Etter fire måneder gikk han lei. Men livet som kramkar fristet heller ikke lenger.

*

Det blåser friskt fra sørvest da de krysser Vestfjorden. Knut sitter i bakskotten og er temmelig grønn i fjeset. Sjøsterk har han aldri vært, og meget mot sin vilje må han innrømme at han er livende redd. Han er ingen sjøens mann. Havet er ikke hans rette element, selv om han nesten hele sitt liv har ferdes i nærheten av det.

Han er på vei til Bø i Vesterålen. Han har fått vite at det står et vikariat ledig som kretsskolelærer der. Vinteren har ikke sluppet taket ennå. Året er 1877, og våren står for døra.

*

Den syttenårige Knut gjorde suksess som lærer. Ungene elsket ham og satt musestille når han spaserte omkring i klasserommet og gjenfortalte historiene fra Bibelen og kongesagaene med høy stemme. Foreldrene satte også pris på ham, og han fikk glimrende attester fra presten, som var formann i skolestyret.

Men vikartiden tok snart slutt. Knut ble likevel værende. Han ble ansatt som betjent hos lensmannen på stedet, og han var like fornøyd med den sympatiske og tjenestevillige unggutten som presten hadde vært. Allerede på skolen hadde Knut merket seg ut med sin flotte håndskrift. Hos morbroren hadde han ført postboka, hos handelsmann Walsøe regnskapsboka. Nå var det en annen type dokumenter han ble satt til å ta hånd om: attester, stevninger, inndragninger og konkursforelegg.

Det var viktige dokumenter, og Knut følte seg som en betydningsfull person. Han sendte ut bud og befalinger som folk måtte ta hensyn til. Og lensmannen behandlet ham nesten som sin likemann. Han bodde i lensmannsgården. Og Inger, lensmannens datter, var mer enn alminnelig pen. Knut hadde nok ikke glemt Laura, men det kunne ikke nytte å gråte over spilt melk. Og det så ikke akkurat ut som om Inger hadde noe imot ham.

Men det var ikke bare den vakre Inger som trakk. Knut og lensmannen hadde en stor lidenskap til felles: de var bokelskere, og lensmannen hadde et innholdsrikt bibliotek som han stilte til rådighet for Knut. Og Knut var vel så opptatt av *det* som han var av Inger. I hyllene stod både Welhaven, Wergeland, Asbjørnsen og Moe og utenlandske klassikere i oversettelse.

Og ikke minst Bjørnson!

Bondefortellingene til Bjørnson var Knuts yndlingslesning framfor noe. Her oppdaget han et språk det slo gnister av. Ordene kom i en annen rekkefølge enn det han var vant til. Setningene var annerledes satt sammen. De var korte og presise. I bondefortellingene gikk man seg ikke vill i lange og vanskelige setninger.

Hamsun slukte Bjørnson rått. Han var det store forbildet. Slik ville han selv skrive – og slik skrev han. For nå visste Knut hva han ville bli – samme hva mor og far måtte mene.

Han ville bli dikter!

*

I Bø gjorde han ferdig en liten fortelling, og under over alle undre – i Tromsø fant han en forlegger som kunne tenke seg å gi den ut. Sommeren 1877 forelå *Den Gaadefulde. En Kjærlighedshistorie fra Nordland* av Kn. Pedersen til salgs for en pris av 40 øre. Det var ingen særlig original historie. Den handler om en rikmannssønn som slår seg ned i en bygd og later som om han er sønn av en husmann. Her forelsker han seg i storbondens datter, men som den fattiglusa han er, kan han selvfølgelig ikke få henne. Etter en del forviklinger kommer sannheten for en dag, og dermed er det duket for bryllup.

Spøkte Laura fortsatt i bakhodet på den ærgjerrige unge dikteren?

Det er temmelig sannsynlig. Får man ikke den man vil ha i det virkelige liv, så kan man i det minste dikte opp en historie der drømmen går i oppfyllelse.

*

Knut var fylt atten. I Bø brukte han nå mesteparten av fritiden til å skrive. To lange dikt fikk han fra hånden og deretter en lengre fortelling, *Bjørger*, som ble trykt hos en bokhandler i Bodø i 1878. *Bjørger* er den beste fortellingen Hamsun skrev som tenåring. Også den handler om ulykkelig kjærlighet og ensomme unge mennesker som søker ut i naturen for å finne trøst.

*

Det var ikke så dårlig å være lensmannsbetjent. Å skrive bøker var enda bedre. Men Knut slo seg ikke til ro med det. Han hadde fått blod på tann. Han stilet høyere. Bø var ikke noe blivende sted for en dikter, og skulle han bli berømt, hjalp det ikke stort å gi ut bøker i Bodø og Tromsø. København, tenkte Knut, det er dit jeg skal med min neste bok. Her holdt de store forlagene til, med Gyldendal i spissen – Bjørnson og de andre berømte norske forfatternes forlag.

København – !!!

Det er langt fra Bø i Vesterålen til København, ikke minst for en lensmannsbetjent med en inntekt som nok gav smør på brødet, men heller ikke særlig mer.

Men Knut visste råd.

26. april 1879 satte han seg ned og skrev et brev – et brev som skulle vise seg å bli et av de mest avgjørende i hele hans liv. Brevet var stilet til Erasmus Benedicter Kjerschow Zahl – den rike og mektige eieren av handelshuset på Kjerringøy. En streng herre, ble det sagt, men også en mann som var kjent for å gi en støttende hånd når folk var i knipe.

I dypeste ærbødighet henvender Knut seg til Zahl. – Nordlands kjempe i økonomisk betydning, kaller han ham. Selv er han bare en ydmyk yngling, tilstår Knut beskjedent. Men han er likevel ingen hvemsomhelst. Han har glimrende evner, påstår han, selv om han bare har gått på en allmueskole. Ved selvstudium har han brakt sin kunnskapstørstende sjel litt høyere, og mange har sagt at de tror han har en framtid som dikter. Han viser til at han har fått utgitt flere bøker, ja, at han allerede har vunnet seg et navn som forfatter. Skal han komme videre på sin dikterbane, må han til København. Derfor anroper han Zahl «i kunstens og utviklingens vernende navn … om nådig understøttelse av 1600.00 – seksten hundrede kroner.»

1600 kroner var ikke småpenger den gangen. En skolelærer tjente om lag 900 kroner i året. Men det gikk ikke mer enn godt en uke før Knut fikk svar fra Zahl. I svarbrevet lovet han å låne Knut de pengene han hadde bedt om.

Knut kunne knapt forstå at det var sant. Han satte seg straks ned og skrev et takkebrev.

«Deres i sitt slag ekstravagante, sjeldne, og for min fremtidige løpebane så avgjørende svarskrivelse av 1 ds. har jeg uaktet neppe troende mine egne øyne mottatt, men innholdet vanskelig fattet.»

I brevet inviterte han seg selv til Kjerringøy for å ta imot pengene av Zahls egen hånd, og han hadde ikke ro på seg til å vente på svar. Denne gangen holdt han seg frisk som en fisk over hele Vestfjorden. Zahl tok vel imot den unge dikterspiren. Han ble invitert inn i finstua, og han bukket og takket.

Fra Kjerringøy drog han direkte tilbake til Bø, pakket sekken og brøt opp.

*

Knut la Bø og Nord-Norge bak seg. Det skulle gå mer enn tjue år før han så sin barndoms landskap igjen.

II

På vandring (1879–1888)

Det tar så smått til å lysne. Tingene får form. En klokke slår seks slag.

Knut ligger med halvåpne øyne og stirrer mot døra. Veggene er tapetsert med gamle aviser. Han kan skimte en annonse for nybakt brød, en reklame for liksvøp. Utenfor hører han folk skramle opp og ned trappene. Han karrer seg opp, det svimler for ham. I går la han seg på tom mage. Sulten gnager i tarmene.

Det har vært lite med mat den siste tiden. Snart er det gått et år siden han trykte Zahl i hånden på Kjerringøy. Og de seksten hundre …? Ikke en eneste krone er tilbake. Hvor har de tatt veien?

Han vet det knapt selv.

Før han dro sørover hadde han riktignok hjulpet sine foreldre en smule. Etter diverse omveier havnet han i Hardanger. Her ble han værende noen måneder. Så gikk turen til København – det som var hans egentlige mål. I København gikk det ikke helt etter planen. Like over jul besluttet han seg for å dra tilbake til Norge igjen. Nå har han bodd noen uker i Kristiania – til leie i dette triste og billige værelset. Hele tiden har han brukt penger.

Våren står for døra, men fortsatt er det snø i lufta. Året er 1880, og Knut er blakk som ei kirkerotte.

Han går bort til vinduet, setter det på fullt gap, lener seg framover på albuene i vindusposten, stirrer ut. Utsikten er ikke mye å skryte av – en klessnor og en nedbrent smie. Han snur seg, går bort til kroken ved senga, roter i en bylt med klær. Hadde han ikke lagt noen brødskalker her i går? Nei, her er ingenting å finne.

Han drar på seg buksene, går bort til vaskeservanten, dynker litt vann på de blanke bukseknærne, stikker blyant og papir i lomma, begir seg ned trappene, vandrer formålsløst omkring i gatene. I et portrom står en gammel kone. I munnen har hun én tann.

Bankplassen. Karl Johan. Pilestredet. St. Olavs plass.

En sjuskete kledd mann hinker foran ham. Han ligner et stort og ekkelt insekt. Knut dreier og går ned en sidegate til havna. Her ligger skipene som svarte uhyrer. Så bærer det opp mot sentrum igjen, han går og går, tar veien opp til Aker kirkegård. Her er det stille og fredelig. Til slutt ender han opp i Slottsparken, setter seg på en benk, tar fram skrivesakene, prøver å samle tankene. Han har planer om å skrive en artikkel for en avis, men han kommer ingen vei.

Slik er det ofte. Nesten hver dag griner blanke ark mot ham. Men noen ganger kan det løsne. Det hender han våkner midt på natta. En idé slår ned i ham. Han griper blyanten. Det strømmer på, setning etter setning, merkelige

St. Olavs plass i Oslo. Fotografi fra ca. 1900. Her bodde Ylajali i Sult, *se side 42, og under sine opphold i Kristiania la sannsynligvis Knut Hamsun mange ganger veien hit.*

setninger, annerledes setninger, setninger som ingen avisredaktør vil vite noe av. Det kan gå timer. Side etter side fylles. Det er uforklarlig, en slags galskap, lyn fra himmelen; noen kaller det inspirasjon, en gave fra Gud, guddommelig galskap.

Men dette er unntak, sjeldne unntak. Oppholdet i Kristiania er en gedigen nedtur. Til tider må Knut gå til pantelåneren i Pilestredet og levere fra seg noen av de få eiendelene han har.

Kanskje blir han nødt til å legge dikterplanene på hylla – i alle fall foreløpig? Han må jo ha noe å leve av.

Knut er desperat. Han søker på forskjellige jobber – uten hell. Imens vandrer han omkring i gatene. Det var ikke slik han hadde forestilt seg framtiden da han forlot Nord-Norge, struttende av selvtillit og med fullstappet lommebok. Han tenker tilbake på året som er gått og stopper opp ved ankomsten til Øystese i Hardanger, like etter han var fylt 20 år.

*

Et lett regnyr forstyrrer utsikten. Små, hvite skoddedotter henger i fjellsidene. Som vanlig har folk i Øystese møtt mannjamnt opp, i god tid før dampbåten skal legge til kai. Det er kveld, 15. august 1879. En fremmed mann går ned landgangen, en høy og stilig ungdom, velkledd, åpenbart i nylig innkjøpt tøy. Mannen bærer en koffert i hånden. Det er den eneste bagasjen han har. Bygdefolket lurer fælt på hvem fremmedkaren kan være.

Han leier seg et kvistværelse i pensjonatet på Lundanes. Her hjelper ungjenta Guro til med stellet. Guro faller straks for den høye og flotte leieboeren. Og han er også oppmerksom på henne, flørter, gir henne små presanger. Hun er som en sol i ansiktet, påstår han. Glemt er både Laura og Inger.

Mannfolka synes også han er trivelig, selv om han er litt høy på pæra. Han påstår han er dikter og sitter mesteparten av tiden på værelset sitt, med hodet bøyd over bøker og papirer. Til alle og enhver forteller han at han skal til København for å levere et manuskript, og han legger ikke skjul på at han regner med at han snart vil bli berømt. Bygdas folk vet ikke riktig hva de skal tro. Etter som ukene går, blir han kjent med stadig flere. Han hilser høytidelig på dem han møter og har høye tanker om seg selv. Men han er ikke så fin på det at han holder seg helt vekk fra «vanlig folk». I oktober blir han med og henter inn sauene fra sommerbeitet, for moro skyld. Til særlig nytte kan han ikke være. Han sier klart ifra om at han er så nærsynt at han ikke kan se forskjell på menneske, bjørn og sau – selv på ti meters avstand.

Det er slikt som retter opp et førsteinntrykk som ikke var altfor godt. Allerede den første søndagen gikk han til gudstjeneste i kirken. Han syntes dårlig om salmesangen, og dette skrev han i et innlegg i stedets avis. Sangen var for *vill*, mente han. Her burde det ha vært et orgel eller et kor som ledet sangen – slik det var andre steder. Innlegget gjorde ham ikke særlig populær. Folk likte ikke at en fremmed mann tok dem i skole.

Senere sendte han inn et nytt innlegg der han gikk til kraftige angrep på hardangerbunaden! Den var både ubehagelig, upraktisk, stygg og uøkonomisk, påstod han.

Dette innlegget kom aldri på trykk!

*

Øystese i Hardanger ligner en omvei. Av en eller annen grunn havnet Knut her på sin ferd til København. Men et sted *måtte* han gjøre et opphold. Opprinnelig var planen å presentere en diktsamling for den berømte forleggeren Hegel i København, men så var det blitt til at han gikk i gang med en fortelling isteden. *Frida* skulle den hete. Den skrev han ferdig på pensjonatværelset i Øystese.

Og han likte seg her. Dagen etter ankomsten skrev han til Zahl at han nøt stillheten og synet av de idylliske fjordene i Hardanger. Men alt var ikke bare velstand. I et nytt brev til Zahl kunne han fortelle at han på forunderlig vis hadde klart å bruke opp alle de pengene han hadde fått fra ham. Foreldrene hadde jo fått sin del. Dessuten hadde det gått med mange penger til klær og bøker. Losjiet var heller ikke billig. Han bad om fire hundre kroner til og lovet samtidig på tro og ære «heretter aldri oftere å be om penger, bare om råd, – men ved første anledning avbetale på min gjeld til dem, da – o, Zahl! – vil jeg vente med håp, vente i Jesu navn!».

En måned senere ble det telegrafert 400 kroner fra Kjerringøy i Salten.

Knut ble værende i Øystese utover høsten. Da pengene kom, hadde han ennå ikke skrevet ferdig *Frida*. I slutten av november satte han punktum, men det var ikke så lett å rive seg løs fra kvistværelset, og Guro … Først sent om kvelden 16. desember gikk han om bord i dampskipet «Folgefonden» – med lånt koffert! Det var lensmannen som hadde forbarmet seg over Knut. 46 år (!) senere fikk han den i retur. Knut hadde ikke glemt denne vennetjenesten. Sammen med kofferten sendte han et signert bilde av seg selv og et eksemplar av alle de bøkene han til da hadde gitt ut.

*

I snøfokk og kuling bar det sørover til Stavanger. Herfra var det båtforbindelse med København, og Knut tok straks av sted. Til Kongens by kom han like før jul 1879, og han begav seg straks til Gyldendal der direktøren tok imot ham i egen høye person. Knut leverte fra seg manuskriptet, og Hegel bad ham komme tilbake neste dag. Om kvelden gikk Knut på kafé Helvete. Her skålte han med vertinnen og kalte henne «min aller kjæreste».

Han var i strålende humør. Nå skulle det feires. Boka var så godt som kommet ut!

Men Knut hadde solgt skinnet før bjørnen var skutt. Da han troppet opp i forlaget neste morgen, lå manuskriptet klart til avhenting. Øverst på det første arket stod en enkelt bokstav – et tegn på at forlaget ikke var interessert i å utgi boka. I julehelgen druknet den unge dikterspiren sine sorger på vertshusene i København.

Selvtilliten hadde fått en alvorlig knekk. Da Knut hadde ranglet fra seg, tok han båten til Kristiania. Derfra drog han strake veien opp til Bjørnson som bodde på gården Aulestad i Gausdal. Om ikke Hegel hadde hatt forstand på det han skrev, så måtte vel Bjørnson ha det. Det var jo *han* som var forbildet framfor noen.

*

Knut retter ryggen og skyter brystet fram. Han har gredd håret bakover og tatt på seg sine beste klær. Han banker på, men i det samme tjenestejenta åpner døra, sklir han på isen og ramler ned på bakken. Mannen er full, tenker hun, og nekter ham å komme inn, selv om han forsikrer henne at han er edru som en prest. Men det er ingen bønn. Knut må tilbringe natta på nabogården.

Neste morgen tropper han opp igjen. Etter det pinlige nederlaget i København står han foran dikterhøvdingen Bjørnsons dør – for andre dag på rad. Han har manuskriptet til *Frida* i sekken. Han står og tripper og venter spent, og nå blir han sluppet inn. Bjørnson tar pent imot ham. Han blar høflig, men hurtig gjennom manuskriptbunken, kaster et blikk på en side her, en linje der. Etter en kort pause retter han de kvasse øynene sine mot Knut.

– Det er skuespiller du burde bli, sier han, med din holdning og din stemme.

Knut bøyer nakken. Det var ikke slik han hadde forestilt seg møtet med sitt store ungdomsideal. Han kremter, protesterer forsiktig, men til ingen nytte. Bjørnson feier ham av, setter seg til skrivebordet, utformer på stedet et anbefalingsbrev til en skuespiller i Kristiania, trykker det i hånden på Knut, følger ham til døra og ønsker ham alt godt for framtiden.

Knut kan ha tenkt seg litt av hvert, men skuespiller har han aldri drømt om å bli. Tilbake i Kristiania oppsøker han likevel Bjørnsons teatervenn, som mer enn antyder at Knut ikke egner seg for teatret. Likevel begynner han å ta timer i drama. Men dramaundervisning gir ikke penger i kassa – tvert imot.

Knut er i desperat pengenød. Han lever på sultegrensen. Nå får det være som det vil med dikterkarrieren. 24. januar 1880 setter han seg ned og skriver et brev til Bjørnson der han ber ham hjelpe seg med «å få en eller annen beskjeftigelse».

Ingen reaksjon – i første omgang. To måneder senere bor han fortsatt på kvistværelset i Tomtegaten 11. Han skriver et nytt brev, denne gang til Zahl, ikke for å tigge om penger, men for å be om unnskyldning for at han fortsatt ikke ser seg i stand til å betale avdragene på lånet. Denne gang undertegner han ikke brevet med Knut Pedersen. Han har skiftet etternavn. Han har tatt navn etter gården han vokste opp på, en vanlig skikk dengang. Fra nå av er han Knut Hamsun, det lyder bedre enn Knut Pedersen. Likevel bruker han fortsatt sitt gamle navn av og til.

Han går og går, gate opp og gate ned. I ny og ne legger han veien opp om en eller annen avisredaksjon. Svaret er alltid nei. Denne artikkelen kan vi ikke bruke. Knut sulter; dikterdrømmene ligger knust.

*

Grushaugen vokser. Arbeiderne står på så svetten siler, skyver trillebørene foran seg i stor fart, lesser av og skynder seg tilbake til grustaket. Knut står med rak rygg og blokk i hånden, holder styr på lassene, kontrollerer mengde og noterer antall. Han nikker til arbeidskameratene. De liker ham. Han hører ikke til dem som maser. Han er en vanlig arbeider som dem, og han er ikke blitt stor på det, selv om han har steget et lite hakk i gradene – til gruskontrollør.

Sulten og nøden har tvunget Knut bort fra Kristiania. I slutten av mai 1880 får han jobb som veiarbeider på Toten. Det er Bjørnson som står bak. Veisjefen er en venn av ham.

Knut trives godt på veianlegget, selv om dagene er både harde og lange. Klokka 6 skal han være på plass, og arbeidsdagen er ikke slutt før ved sjutiden om kvelden. Men jobben som 'grusskriver' er jo nærmest for en kontorjobb å regne. Da var det verre i begynnelsen. Han var vant med hardt kroppsarbeid fra før, men det tok på å svinge spaden fra morgen til kveld. Fingrene hovnet opp, og hvis han gav seg til å skrive, skalv han slik på hendene at det var nytteløs gjerning.

Nå er skjelvingen borte. Det hender til og med at han får tid til å ta fram en bok og lese noen sider mellom gruslassene. Litt bedre lønn får han også. Etter fire måneders prøvetid er han blitt forfremmet, og det er han stolt av.

Nei, det er ikke så verst å være veislusk på Toten. Det er et sunt liv. Nok mat får han også, han har lagt på seg og føler seg i fin form. De sørgelige månedene i Kristiania er i ferd med å gå i glemmeboka. Der vandret han ensom omkring, her har han kamerater, han liker dem, og de liker ham, selv om de synes han er «gresselig lærd». I fritiden er det liv og glade dager, kortspill og dans til langt utpå natta. Og Knut er blant de ivrigste. Han elsker å spille, satser høyt – og taper så det suser. Han er sterk som en okse. Både selvtilliten og det gamle humøret er i ferd med å vende tilbake.

*

Etter en tid flyttet han inn hos en arbeiderfamilie på Raufoss. De hadde ett rom og kjøkken, og Knut fikk sin egen seng på kjøkkenet. Kona i huset, Torger-Maria, laget mat til veisluskene. Når hun hadde skysset spisegjestene ut etter kveldsmaten, redde Knut opp på sofabenken. Her lå han og leste bøker han hadde lånt på folkebiblioteket, eller han bad om å få sitte ved bordet og skrive. Om dagen gikk han omkring med lommene fulle av lapper som han hadde notert ned tanker og ideer på.

Før hadde han vært en snobb i klesveien. Nå var han ikke så nøye på det lenger. Han hadde ingen overfrakk og gikk isteden omkring med 4–5 skjorter på – samtidig. Mellom hvert skjortelag kravlet det med lus og lopper. Etter at han kom i huset til Torger-Maria, tok han seg sammen. Snart var Knut den gode, gamle friskusen han hadde vært før. Han kjøpte seg en pen sort frakk og en vid hatt, diktet vers og sang for jentene, og han leste aviser og holdt seg godt orientert om det som skjedde i landet.

Han var levende interessert både i religion og politikk og gikk til foredrag og møter. Han gikk til vekkelsesmøte i Vardal og hørte både Kristofer Janson og Bjørnson tale. Predikanten i Vardal var ikke en mann etter Knuts hjerte. Han la ut om helvete så Knut nærmest så flammene slikke oppover veggene i forsamlingshuset. Da var det noe annet med Janson. Han hadde nettopp vært i Amerika og snakket varmt og begeistret om forholdene der.

Og Knut fikk stadig nye venner – også blant folk som var 'høyere på strå' enn veisluskene. En av dem het Nils Frøsland og var bestyrer på Raufoss fyrstikkfabrikk. I 1881 inviterte han Knut til å feire jul sammen med seg hjemme hos sin mor.

*

Ribba er fortært og tallerkenene fjernet. Gjester og husfolk har spredt seg rundt omkring i stoler og på sofaer. Nå er det Knuts tur til å underholde. Han reiser seg og deklamerer Henrik Ibsens monumentale dikt «Terje Vigen» så det runger i veggene. Damene lytter andektig og er svært begeistret. Mor Frøsland nikker fornøyd. På den korte tiden hun har kjent ham, har hun lært å sette stor pris på denne staute ungdommen. Hvis hun kan hjelpe ham på noe vis, vil hun gjerne det – også med penger.

I jula har Knut fortalt at han gjerne kunne ha tenkt seg å reise til Amerika. Det er mange som har tatt veien dit de siste årene – også i dette distriktet. I Amerika kunne nesten hvem som helst slå seg opp hvis han var energisk og arbeidssom nok. Og mor Frøsland mener at Knut har en framtid. Helst ser hun at han begynner å studere til prest. Han er jo boklig begavet og interessert i religiøse spørsmål. Men hun ser heller ikke bort fra at han kan bli til noe i Amerika. Han sier jo selv at han vil bli dikter, og de mange nordmennene der borte kunne vel trenge til en dikter.

Stemningen er god. De diskuterer Knuts reiseplaner. Da Knut vinker farvel, er saken klar. Mor Frøsland har lovet å låne ham fire hundre kroner til reisen over Atlanteren.

*

På forhånd hadde både Bjørnson og kaptein Moestue, sjefen på veianlegget, lovet å hjelpe Knut. Nok en gang hadde Bjørnson skrevet et anbefalingsbrev, denne gangen til en professor ved universitetet i Madison, Wisconsin, Rasmus B. Andersson, som Bjørnson var blitt kjent med under en foredragsreise i Amerika. Knut lot seg ikke be to ganger. Nå hadde han de pengene og de anbefalingene han trengte. 3. januar 1882 fikk han sluttattesten for arbeidet på veianlegget. Et par dager senere tok han avskjed med kameratene på Toten. 12. januar drog han med båt fra Kristiania til Bremen i Tyskland. Tre dager senere forlot han Bremen med dampskipet «Oder». Han hadde tilbudt rederiet å skrive om reisen i norske aviser. Rederiet tok imot dette tilbudet, og som betaling fikk han overfarten gratis.

Knut var godt fornøyd med seg selv og livet der han stod på dekket og så Tyskland og Europa forsvinne i horisonten. Tre uker senere gikk han i land i New York.

*

Knut er målløs. Her er hus på over 13 etasjer med vippeanretninger som kan heise folk helt opp til fjerde etasje. Høyt oppe i lufta går det jernbaner på skinner, og tusenvis av telefontråder er spent fra hus til hus. Til Brooklyn går det en bro som er nesten 3/4 mil lang, og den ligger så høyt at han blir svimmel når han går over den. Det føles som om han befinner seg i et annet luftlag.

Men han skal videre. Han har et anbefalingsbrev til en mann i Madison, Wisconsin, og han har også en bror som bor i Midtvesten. Gratisbillett til toget har han også. Direktøren i dampskipsselskapet hadde vært så raus at han gav ham denne billetten på kjøpet, i tillegg til gratis skipsreise over Atlanteren. Jernbanen passerer Chicago, og Knut er like begeistret som da han kom til New York. Det nye rådhuset i byen er den *vakreste* bygningen han hittil har sett.

Men møtet med Andersson blir en stor skuffelse. Knut er en selvbevisst ung mann. Nå føler han seg ovenpå, og overfor professoren legger han ikke skjul på at han har store planer for framtiden.

«Bjørnson har fortalt meg at hans landsmenn her borte mangler en dikter, og jeg er kommet for å rette på det,» slår han ubeskjedent fast.

Professoren synes det får være måte på alt. Han blir fornærmet og setter den unge jyplingen på plass – og deretter *på dør*. Makan til mangel på gjestfrihet, tenker Knut og legger veien til den lille småbyen Elroy.

Her tok han først inn hos broren, men de kom ikke særlig godt overens, og Knut flyttet ut og fikk et værelse for seg selv. I Elroy jobbet han i forretningen til en av byens rikeste menn. En stund arbeidet han også på en farm. I november 1882 holdt han sitt første foredrag i Amerika. Emnet var Bjørnsons diktning, og til slutt deklamerte han «Terje Vigen» til høylytt applaus fra tilhørerne. Foredraget vakte oppsikt og ble referert i avisene. Nå så det ut til å lysne. Knut skrev som aldri før, satt oppe om nettene, fikk stadig nye ideer.

Også i Elroy fikk Knut seg en kjæreste. Knut likte jentene, og jentene likte ham, men som regel ble det snart knute på tråden. I januar 1884 la Knut både kjæresten og Elroy bak seg og drog til den lille præriebyen Madelia i Minnesota. Her fikk han arbeid i en trevareforretning. Men det gikk ikke lang tid før han var på flyttefot igjen. I Madelia hadde han truffet Kristofer Janson. Han var nå prest i en norsk menighet i Minneapolis. De diskuterte religiøse spørsmål, og Janson fikk straks sans for den beleste og ivrige unge mannen som hadde sterke meninger om både det ene og det annet. Han tilbød ham en stilling som privatsekretær, Knut takket ja, forlot trevareforretningen og flyttet inn i hjemmet til presten og kona hans, Drude, i Nicollet Avenue.

Janson var prest i en *unitar*-menighet, en sekt som forkynte en gladere og mer åpen kristendom enn den Knut hadde stiftet bekjentskap med hos morbror Hans Olsen. Knut trodde på Gud, men han hadde fått de strenge helvetespredikantene i vrangstrupen. Unitarerne var mer etter hans hjerte. Når Janson var ute på foredragsturné, hendte det at Knut inntok prekestolen i hans sted. Men privatsekretærens oppgaver gikk i hovedsak ut på å samle inn penger til menigheten, arrangere basarer og auksjoner og sette opp skuespill som Janson hadde skrevet. Det var en jobb som passet for Knut. Han fant seg i det hele tatt til rette i Nicollet Avenue. Så skjedde det plutselig noe som gjorde at også oppholdet i Minneapolis ble kortere enn han hadde forestilt seg.

*

Svetten driver av Knut. Sengeklærne er plaskende våte. Han spytter blod og er sikker på at hans siste time er nær. Legen har sagt at han lider av «løpsk tæring». Han ligger i senga og føler en desperat trang til å gjøre noe hårreisende galt. Han vil gå på bordell, han vil synde storartet, ja, han vil dø i synden, hviske hurra og trekke sitt siste sukk. Han har vært så streng mot seg selv, hele livet – en blyg og tilbakeholden mann egentlig. Kvinnene har budt seg fram, han har ikke vært sjanseløs, det vet han, men han har alltid trukket seg tilbake når det har begynt å bli alvor. Selv Drude, en gift kone og allting, har hatt vanskelig for å skjule at hun har kunnet tenke seg litt av hvert …

Han er snart 25, og ennå har han ikke vært i seng med en kvinne. Nå er det kanskje for sent. Aldri, altså!

Men han har hatt det godt her hos Drude og Kristofer, kanskje bedre enn noen gang før i livet. I alle fall har han aldri hatt så gode muligheter for å komme videre med skrivingen. Begge ektefellene er svært interessert i diktning. Kristofer Janson har selv et ganske betydelig forfatternavn i Norge, og Knut har diskutert litteratur med begge to. Dessuten har de et rikholdig bibliotek, med alle slags bøker – fra romanene til de store russerne Tolstoj og Dostojevskij til bøker om indisk og kinesisk filosofi. Nesten alt av den moderne amerikanske litteraturen står også i hyllene, og norske bøker, selvfølgelig. Knut har aldri opplevd maken til rikholdig bibliotek. Dag etter dag har han stått der og bladd seg gjennom bok etter bok.

Nå, når alt så så lyst ut, ligger han altså her og skal dø!

*

Unitar-presten Kristofer Jansons hustru, Drude Krog Janson, var en vakker kvinne. Hun fikk et fortrolig forhold til Knut.

Da Knut ble syk forsommeren 1884, ville han hjem. Men hjemturen lot seg ikke ordne i en fart. Først ut på sommeren fikk han skipsleilighet fra New York. Straks han kom hjem, oppsøkte han lege. Heldigvis var det ikke så alvorlig som Knut hadde fryktet. Legen kunne konstatere at han led av bronkitt, og han rådet ham å dra til fjells. Frisk fjelluft ville være den beste medisin, mente han. Knut fulgte rådet og flyttet til Aurdal i Valdres.

Her frisknet han til og fikk nye venner. En av dem var stedets poståpner, Erik Frydenlund. Når Erik var borte, overtok Knut driften av postkontoret.

Fra sin tid hos onkelen kjente han jo godt til denne typen jobb. Men fortsatt var det skrivingen som stod i hodet på ham. Hos Drude og Kristofer hadde det gått litt trått, selv om mulighetene hadde vært gode. Han hadde lest mer enn han hadde skrevet. I Aurdal kom han for alvor i gang. Han fikk trykt flere korte innlegg og artikler i avisene. Litterære foredrag holdt han også. Til Kristiania tok han mange turer – for å skrive og kontakte avisredaktører. Penger var det like smått stell med nå som det var den gang han bodde i Tomtegaten etterjulsvinteren 1880.

Men Amerika spøkte fortsatt i bakhodet.

I august samme år gikk han om bord i dampbåten «Geisir». På nytt krysset han Atlanteren. Denne gangen slo han seg i første omgang ned i Chicago. Han søkte en rekke stillinger. Til slutt fikk han jobb som konduktør. Men han følte seg temmelig ensom og isolert i storbyen. Våren 1887 drog han til Minneapolis og gjenopptok kontakten med ekteparet Janson.

Nå begynte det for alvor å svinge. Han fikk nye venner, blant annet en gjeng med radikale journalister. De var alle avholdsfolk – og samtidig litterært interessert. Knut diskuterte med dem, gjorde seg enda bedre kjent med den nye litteraturen, holdt foredrag – og skrev, skrev. Noe nytt holdt på å ta form, han famlet mindre enn før. Når han skrev, spredte han seg ikke lenger så mye; han så for seg skjelettet til en lengre tekst, en roman der språket svingte i takt med hans egne nerver, der hele hans oppsparte litterære energi kunne få utløp, der hans egen og tidens rastløse uro vibrerte i hver linje.

Tiden var snart moden.

*

I midten av juni 1888 står Knut på dekket av «Thingvalla» og ser Manhattan forsvinne i horisonten. Aldri mer skulle han vende tilbake til Amerika.

*Knut Hamsun i
konduktøruniform
i Chicago.*

III

Gjennombrudd (1888–1898)

Lysene skinner blankt fra vinduene. En ensom skipspassasjer står ved rekka og ser inn mot husene i Kristiania. Knut Hamsun er på vei hjem fra sitt andre Amerika-opphold. Det er i begynnelsen av juli måned. Året er 1888.

Han er alene, ingen venter på ham.

Planen var å gå i land, men under overfarten hadde han skiftet mening. Flere ganger hadde han bodd i Kristiania, sultet og hatt det vondt. Både før og etter disse oppholdene hadde han flakket omkring. Lite eller ingen penger hadde han hatt, men snille og gavmilde mennesker hadde hjulpet ham.

Nesten hele tiden hadde han vært besatt av en eneste tanke: å bli dikter, ikke en hvilken som helst, men en dikter som skulle skape noe helt nytt, et nytt språk, en ny måte å skildre mennesker på, en skildring som var i pakt med tiden, som fanget opp den måten menneskene levde og følte og tenkte på *i dag*. Med seg i kofferten har han notater til en roman.

Litterært sprengstoff –?

Det håper han i det minste.

Da båten letter anker med kurs for Danmark, står han fortsatt ved rekka. 17. juli går Knut Hamsun i land i København. Nå vender han for første gang tilbake til den byen der han som håpefull tjueåring led sitt første bitre nederlag som forfatter. Han biter tennene sammen og går med bestemte skritt ned landgangen.

Bildet til høyre: Ung dikter på vei mot gjennombrudd.

Denne gangen skal han ikke gi seg så lett. Han fyller snart 29. Ikke en eneste bok har han utgitt siden han brøt opp fra Nordland for ni år siden. Nå skal de få bite i seg de småspydige bemerkningene, *de* som avviste ham den gang han kom reisende hit med *Frida* i bagasjen.

*

Etter å ha pantet vesten, leier Hamsun seg inn på et kvistværelse i St.Hansgade 18 i København. Han låser seg inne, det summer i hodet på ham, de særeste innfall melder seg, de underligste sinnsopplevelser. Det er galskap, det er nerver på bristepunktet. Værelset er iskaldt selv om det er midt på sommeren. Det blåser gjennom veggene. Her finnes ingen ovn, den eneste lyskilden er en liten rute i taket. Han har ikke andre klær enn de han går og står i. De er tynne, han fryser, men han har ikke penger til å kjøpe klær, knapt penger til å kjøpe mat for. Han skriver febrilsk. Det blir til 30 sider. Tittelen er «Sult». Det er sine egne opplevelser han beskriver – intenst, fortettet, annerledes enn alt annet.

En dag legger han veien om redaksjonen i avisa *Politiken*. Manuskriptet har han i lomma. Edvard Brandes, bror til den berømte kritikeren Georg Brandes, tar imot ham. Han er rystet. Et mer forkomment menneske har han ikke sett. Klærne i filler, og ansiktet, det oppjagede uttrykket, han er ingen sentimental mann, men dette ansiktet griper ham –.

Han lover å lese stykket, det er for langt for avisa, men kanskje kan han få det trykt i et tidsskrift. Han stikker til Hamsun noen kroner, om natta leser han, dette er noe helt nytt, det ser han med en gang. Før Brandes har fått gjort noe mer, har Hamsun imidlertid fått kontakt med redaktøren av tidsskriftet *Ny Jord*, Carl Behrens. Behrens sørger for at «Sult» blir trykket i tidsskriftet i November. Heftet er utsolgt på tre dager. Fortellingen slår ned som en bombe.

Men hvem er forfatteren –?

Hans navn er ikke nevnt.

Det var Hamsun selv som hadde forlangt at det skulle være slik, han som så lenge hadde drømt om å bli berømt.

Han har mer på lager. Philipsen tror på ham og gir ham noen kroner – som forskudd.

Hamsun skriver videre, mørket gjør ham nervøs, han tåler nesten ingenting, han binder et tørkle om den venstre hånden, han kan ikke holde ut å kjenne sin egen pust mot den. Fyrstikker kan han heller ikke tenne, bare under bordet, mørket gjør ham nervøs, lyset gjør ham nervøs. Det er galskap og nerver.

*

Men Hamsun var ikke så isolert som før. Straks det ble kjent at han var mannen bak fortellingen i *Ny Jord*, ble han trukket inn i de litterære kretser. Den norske forfatteren Amalie Skram bodde i København. Hun var gift med en dansk kollega, Erik Skram. Ekteparet presenterte Hamsun for kunstnere og litterater. Hamsun lot seg trekke med i kretsen, brukte penger, måtte be Philipsen om mer forskudd – 100 kroner – men brukte opp pengene på en tur til Sverige. I desember var han blakk igjen. Han skrev til en rik norsk forretningsmann. Han sendte penger. Så var Hamsun ovenpå – så lenge det varte.

15. desember 1888 stod han på Studentersamfundets talerstol i København. Han var bedt om å holde et foredrag om Amerika. Taletiden strakk ikke til. 12. januar stod han på samme sted. Han rakket ned på Amerika. Han hevdet det stikk motsatte av hva alle andre hadde hevdet. Amerika var ikke frihetens land. Det var et land uten kultur, uten åndsliv, uten tradisjoner, et heseblesende samfunn, et samfunn som oppmuntret til mobbing og kunstig demokrati, et land der penger var høyeste verdi.

Foreleggeren Gustav Philipsen været sensasjon og oppfordret Hamsun til å skrive ut foredragene med tanke på å utgi dem i bokform.

16. april 1889 kom *Fra det moderne Amerikas Aandsliv* ut på Philipsens forlag.

*

Men nervene til Hamsun står fortsatt på høykant. Det er Boka som står i hodet ham. Alt annet er likegyldig. Han arbeider videre på Boka – en utvidelse av fortellingen som hadde stått på trykk i tidsskriftet *Ny Jord*. Men han tar seg også tid til å skrive artikler av ulikt slag. Han må jo tjene penger. Og det glir, det glir. Han behøver ikke å lete etter ordene. De kommer av seg selv. I mai tar han en tur til Aurdal i Valdres for å besøke gamle venner. 18. mai skriver han til Philipsen og forteller at nervene nå så smått begynner å komme i orden. Men han trenger penger. Minst 400 kroner – for å betale klattgjeld i Norge.

Penger er ikke alt, men det er godt for nervene!

Om sommeren, like før han fyller 30, bosetter han seg i Kristiania. I august anmelder han Ibsens *Gengangere* i Dagbladet. Kort tid i forveien hadde han skrevet om Fridtjof Nansen, en oppblåst blei etter Hamsuns mening. Han tok også for seg presten Lars Oftedal, en gammel «fiende» fra barnedagene og nå dessuten en politisk motstander. I september skriver han til Philipsen igjen. Han påstår at han regner med å ha *Sult* klar til utgivelse før jul. Det går ikke. Han blir boende i Kristiania. 18. mars 1890 skriver han til Philipsen at han *nesten* er ferdig med boka. Han har vært så sikker på seg selv, nå er han ikke så sikker lenger. Fortsatt tror han at Boka ikke kommer til å ligne noen annen bok som er utkommet før. Men dermed skal han ikke ha sagt at den er god. Nei, dessverre, den blir nok ikke *stor*, i hvert fall ikke så *stor* som den kunne ha blitt hvis han hadde hatt bedre tid.

Men det får briste eller bære!

«Nå er jeg nesten død av nervøsitet. Men det går jo over engang. 100 Kr., takk, om De vil være så snill.»

Og Philipsen telegraferte summen Hamsun bad om.

Noen dager senere er han på vei til København. Der skriver han ferdig de siste sidene, og 2. juni 1890 sender Philipsen *Sult* ut til bokhandlerne.

*

«*Sult* er ikke en roman, men en bok hvor jeg har forfulgt en ømtålig menneskesjel», skrev Hamsun til en svensk forfatter. «Det er et forsøk på å skildre det eiendommelige sinnsliv, nervenes mysterier i en utsultet kropp. Den spiller bare på en streng, men jeg har forsøkt å få hundre toner ut av denne ene.»

Slike og lignende uttalelser kom han med i flere brev, blant annet i et brev til Georg Brandes, som hadde sagt at han syntes boka var ensformig. Det såret Hamsun, for Brandes var en mann han satte høyt. Han bad ham lese boka på nytt – i sammenheng. Ellers var han ikke nådig mot dem som kritiserte boka.

Han er sikker på seg selv. Han vet hva boka er god for, han vet hva han har villet med den. Han har nådd sitt første mål. Vissheten om det kan ingen middelmådig kritiker ta fra ham.

*

Mottakelsen var blandet. Kritikerne hadde vanskelig for å forstå hva boka dreide seg om. I dag blir *Sult* regnet for å være et av de viktigste verkene ikke bare i norsk, men også i europeisk litteratur fra slutten av det forrige århundret. Det er en av de første romanene som skildrer det *moderne* menneskets sjeleliv, og den foregriper på mange vis de retningene store deler av prosadiktningen skulle ta på 1900-tallet – retninger som legger mindre vekt på den ytre handlingen enn romanforfatterne på 1800-tallet hadde gjort. I Hamsuns debutroman er handlingen skåret ned til et minimum. Det er hovedpersonens indre liv det dreier seg om.

Romanen forteller ikke en historie, den beskriver en serie sinnstilstander. Den sitrer av nerver. Den handler om en mann som går omkring i Kristiania og sulter. Innledningssetningen er en av de mest berømte og siterte i norsk litteratur.

«Det var i den tid jeg gikk omkring og sultet i Kristiania, denne forunderlige by som ingen forlater før han har fått merker av den …»

Jeg-personen er hele tiden på vei til å bukke under, men tanken på at han skal bli dikter, holder ham oppe. Og på forunderlig vis er ikke sulten bare negativt beskrevet. Det er den som gjør hovedpersonen åpen for alle slags underlige inntrykk og fornemmelser. Det er den som gjør ham annerledes enn alle andre. Hadde han ikke sultet, ville det ikke vært noe å skrive om.

Den anonyme hovedpersonen later ofte som om han er en annen enn den han er. Han spiller roller, utgir seg for å være prest, journalist … Han forteller de villeste historier til folk han møter på gater og i parker. På en benk i Slottsparken dikter han opp en historie om husverten sin. Happolati, kaller han ham, et uvanlig navn, men Happolati er da også en merkelig person. Han har funnet opp en salmebok med elektriske bokstaver som kan lyse i mørke … Tilhøreren gaper av forundring.

Får *Sult*-helten tak i penger, gir han dem straks bort – til tiggere han møter på gata. En dag følger han etter to kvinner, han blir kjent med den ene, Ylajali kaller han henne, en aften blir han invitert opp på hennes værelse, så faller håret hans av, i store dotter, hun blir forskrekket, han løper ut døra. En aften blir han satt i fyllearresten, politibetjenten tror han er full, han vingler omkring, men det er sulten som gjør at han har vanskelig for å stå på beina. I arresten blir han rammet av panisk angst. For å overvinne angsten finner han opp et nytt ord, *kuboaa*, og han gir det ulike betydninger. Han bruker språket for å holde seg oppe. Historiene han dikter opp, tjener samme hensikt. Han spiller roller og dikter opp løgnhistorier for å overleve. I grunnen føler han seg høyt hevet over alle de andre uslingene som streifer omkring i byen. Det er ikke *de* som forfølger ham, det er Gud, med sin finger har han pekt på ham; han er en prøveklut for Guds nåde, han forbanner Gud. Men hele tiden går det nedover med ham. Til slutt blir han tvunget til å ta seg hyre på en båt. På vei ut fjorden retter han seg opp og ser inn mot land, inn mot Kristiania der vinduene lyser så blankt fra alle hjem.

I *Sult* nedla Hamsun hele sin lange og seige kamp for å overleve – som dikter og menneske. Resultatet ble et av de store mesterverk i verdenslitteraturen.

*

Kort tid etter utgivelsen av romanen drog Hamsun til Lillesand for å komme vekk fra alt oppstyret rundt boka. Her leide han seg inn på et hotell.

Fra balkongen kan han se dampskipsbrygga, seilskutene, fisketorvet, brennevinsutsalget, den lille forhøyningen der kirken ligger, og kirkegården der han ofte rusler omkring og ser på gravstøttene. Nede på gata ser han den halte skredderen. Skippere med stiv hatt og fine frøkner promenerer forbi. En dag hadde han hilst ærbødig på en av dem. Det ble ikke tatt nådig opp.

Nederst i gata står presten – svartkledd, streng, med sørgmodig blikk.

Hamsun går rastløst fram og tilbake. Hotellet er det ikke noe å si på, men ellers begynner denne lille fillebyen å gå ham på nervene. Han kom hit i juni for å slappe av, for å begynne med en ny bok – noen noveller som han har tenkt på en god stund. Ro er det blitt nok av, men skrivingen har det gått trått med. Han er fortsatt opptatt av *Sult*. I bunn og grunn ble boka ikke den suk-

Det første maleri av Knut Hamsun. Bildet er malt av Alfredo E. Andersen i Kristiansand i 1891. I et intervju skal maleren ha sagt at modellen var en vakker mann, kraftig bygd og med en manke av blondt hår.

sessen som både han og Philipsen hadde forestilt seg. Boka *selger* rett og slett ikke. Han skriver til venner og bekjente og reklamerer for den, forsøker å forklare hva den *egentlig* handler om. Selv vet han hva den er verd, nå gjelder det bare om å få andre til å innse det samme.

Men det er da noen lyspunkter. For noen uker siden fikk han brev fra en dame i Bergen, Bolette Pavels Larsen, litteraturkritiker i *Bergens Tidende*. Hun skrøt fælt av *Sult*. Fra Wien har han også fått brev fra en kvinne som gjerne vil oversette hele boka. Marie Herzfeld heter hun, og skal visstnok være ekspert på skandinavisk litteratur. Som om ikke dette er nok, fikk han her om dagen et telegram fra en engelsk dame, Mary Chavelita Dunne, som også hadde lest *Sult*, var like begeistret som de to andre og gjerne ville oversette den til engelsk.

Han avtalte et møte med Mary i Arendal. Det ble et underlig møte. Dama var sprø, 29 år, enke og steinrik. Hun ville gifte seg med ham, påstod hun, og gav ham et bilde til minne.

Nåja, det er en dame her i byen som opptar ham mer. Hun spiller så godt piano, er intelligent, og … Gud, for noen øyne hun har …!

*

Knut Hamsun ble boende i Lillesand helt fram til sent på høsten 1890. Han la novellene på hylla og gikk isteden i gang med en artikkel, et slags utkast til et program for en ny måte å dikte på. Han «lånte» formuleringer fra de brevene han hadde skrevet mens han arbeidet på *Sult*. Det ble en artikkel med smell i.

«Fra det ubevidste Sjæleliv» stod på trykk i tidsskriftet *Samtiden* samme høst.

«Det er på tide at forfatterne slutter med å beskrive «typer» man treffer på fisketorvet hver dag, typer som er beskrevet utallige ganger før,» slår Hamsun fast i artikkelen. «Hva om vi isteden begynte å beskjeftige oss litt mer med sjelelige tilstander? Med moderne og sammensatte menneskers sjeleliv?»

Selv vil han ta for seg det delikate fantasiliv, han vil følge tankenes og følelsenes vandringer i det blå, skildre sporløse reiser med hjernen og hjertet – blodets hvisken og benpipenes bønn, hele det ubevisste sjeleliv.

Etter at artikkelen var ferdig, gikk han i gang med å skrive tre foredrag der han angrep tidens norske litteratur. Især fikk de «fire store» det glatte lag – Henrik Ibsen, Alexander Kielland, Jonas Lie og Bjørnstjerne Bjørnson. Hans ungdoms store ideal, Bjørnson, slapp altså heller ikke fri, han som hadde hjulpet ham ved flere anledninger, men som hadde hatt liten eller ingen sans for Hamsuns debutroman.

*

Hamsun stirrer utover salen. Ryktet har løpt foran ham. Folk værer sensasjon. Turneen startet med et foredrag i Bergen i februar 1891. Så reiste han sørover langs kysten – fra by til by: Haugesund, Stavanger, Kristiansand, Sandefjord, Drammen, Fredrikstad. I Sarpsborg tok han seg en hvil over sommeren. Hotellpiken hadde sett så lurt på ham, han fikk seg ikke til å reise, hun kom opp på hans værelse hver dag …

Men nå er han klar til dyst. På første benk sitter Ibsen i egen høye person. Han har sendt ham billett på forhånd, og så sannelig sitter han der, med dypsindig mine, stiv som en pinne, med fullskjegg som en julenisse – dette lille «vesenet» som på sine gamle dager har skjendet sitt livsverk med ånd- og talentløs mimring. En verdensberømt dikter? – ja, hva så? – nå er han bare en skrivende merkverdighet, et litterært begrep for tyskere!

Klokka er åtte. Det er onsdag 7. oktober 1891. Brødrene Hals' konsertsal i Kristiania er stappfull. Hamsun lener seg over talerstolen, nøler litt, tar seg på tak, løfter blikket, starter.

«Det er om norsk litteratur jeg vil tale i aften, og det jeg har å si vil nok komme til å forarge …»

Det er 1880-årenes realistiske samfunnsdiktning Hamsun vil til livs, en diktning som handler om konkurser og svindel, om smalsporede jernbaner, ekteskapelig samliv, amerikanske kvinneleger og feil i bibeloversettelsen, om handel og skipsfart, litt fritenkeri, litt demokratisk frihet – og typer, alltid typer av mennesker. Den er altfor pedagogisk, mener Hamsun, altfor opptatt av å forandre samfunnet.

Ta Bjørnson for eksempel, hevder Hamsun, han er bonde og demokrat av anlegg, en pedag for store barn. Og Kielland, bøkene hans er ikke annet enn en eneste lang kjede av begivenheter og katastrofer, konfirmasjoner, begravelser og baller, bønnemøter, selvmord og sildetrafikk. Og Lie, hans psykologi er jevnt god, og han har et humør som en snill onkel, men har han forstått noe som helst av det moderne menneskets sjeleliv? Nei og atter nei, romanene hans tyder slett ikke på det. Og personene til Ibsen, ja, hva med dem …? De snakker guddommelig dypt, men de er livløse som tinnsoldater. De er typer med ett bestemt karaktertrekk, med én egenskap. De er produkter av Ibsens hjerne, de er ikke hentet fra det levende liv.

Hva vil Hamsun stille isteden?

Jo, det skal forsamlingen få vite på fredag, samme tid, samme sted. Da er emnet psykologisk litteratur. Som i aften en krone pr. billett.

Hamsun ville skrive bøker med «virkelig psykologi» i, bøker der motsetningene i mennesket kom fram. Han ville ikke skrive om hvem som helst. Det var de utvalgte få han ville skildre, nervemenneskene, de innviklede, moderne menneskene. Han ville dikte slik han selv følte for det, ikke ut fra vitenskap og tall. Han ville utstyre sine skikkelser med de merkeligste karaktertrekk uten tanke for hva folk flest mente. Han ville la sine helter le der fornuftige folk ville ha dem til å gråte.

Det avgjørende var om diktningen *virket* på leserne. Derfor ville Hamsun følge fantasiens flukt over fjellene og ikke vike tilbake for noen ting. Hvis det passet seg slik, ville han fornekte virkeligheten og lyve så det rant av ham – stikk imot all sunn fornuft.

*

Det var den rene galskap, vilt provoserende, foredragene satte sinnene i kok og hele det litterære liv på ende. Hamsun ble beskyldt for å være frekk og arrogant, en person med sykelig selvstendighetstrang. I beste fall var han en bajas som ingen kunne ta høytidelig. En redaktør skrev at foredraget var et to timer langt kurs i uvitenhet, overflatiskhet og frekkhet. Nå ble Hamsuns rykte for alvor frynset. Ingen tok ham alvorlig.

Men damene lå for hans fot!

*

Foredragsturneen ble avsluttet i Kristiansund. Her bodde Hamsun til utpå vårparten. I april 1892 var han tilbake i København, leide seg inn i Bredegade 17, leste korrektur på en ny roman, gikk i Tivoli og på Café Bernina, drakk seg snyden full den ene kvelden etter den andre, skalv etter hvert så kraftig på hånden at han knapt kunne holde en blyant.

I september 1892 utkom *Mysterier*.

Romanen bærer sitt navn med rette. Verken boka eller hovedpersonen – Nagel heter han – er lett å bli klok på. Han dukker plutselig opp fra intet, går i land i en liten småby på Sørlandet (Hamsun hadde nok hatt Lillesand i tankene), i en gul, avstikkende dress, med en fiolinkasse i hånden – den viser seg å inneholde skittentøy! – tar inn på stedets hotell, setter byen på ende med sine mange hårreisende meninger og uttalelser, tar på seg rollen som beskyttende engel for en annen underlig figur, Minutten, en krøpling som blir hundset og forfulgt av de som bor der, forelsker seg i prestens datter, får besøk av en gåtefull dansk kvinne, vandrer omkring i skogen om natta, bærer en flaske med gift i lomma, hopper i havet på siste side.

Selv kaller han seg for «en levende motsigelse».

Nagel rakker ned på alt og alle, angriper store og berømte menn, gjør narr av Ibsen og Bjørnson. Han vil ikke kalle en mann stor selv om han har utrettet noe stort i andres øyne, hevder han, han bedømmer ham ut fra seg selv, ut fra sin egen lille hjernes skjønn, *etter hvilken smak han får i munnen av ham.* Tilhørerne vet ikke hva de skal tro, den ene dag påstår Nagel én ting, den neste dag noe helt annet. Især er Dagny, prestens datter, forvirret, hun er betatt av ham, de går lange turer sammen, men hun kan aldri stole på hva han sier. Han virker så ærlig, neste dag forteller han at han sa det han sa for å gjøre inntrykk på henne og tilstår åpent at han har løyet. Det er ikke til å undres over at Dagny en dag utbryter:

«Hva er din *hjertens* mening?»

Nagel er en desperat mann, og boka om ham er en desperat bok. Han føler at alt i livet er bare løgn og bedrag. Den eneste måten han kan forsvare seg på, er ved å bli en enda større løgner og bedrager selv. Nagel er en av Hamsuns mange selvmordere. Han finner seg ikke til rette i livet. Han kaller seg «tilværelsens utlending». I bunn og grunn har han ikke livets rett. Men boka om ham er en overskuddsbok. Den bobler av fortellerglede.

I *Mysterier* satte Hamsun seg ut over enhver fornuft, mente kritikerne. Den merkelige oppførselen til den anonyme hovedpersonen i *Sult* lot seg forklare. Han *sultet* jo. Men Nagel var både sunn og frisk. Likevel er og forblir han et mysterium – også for dagens lesere.

*

Da *Mysterier* var klar for utgivelse, forlot Hamsun København på nytt. Han slo seg ned på den lille og fredfulle danske øya Samsø. Her skrev han ferdig en ny roman, *Redaktør Lynge*, der han rakket ned på avismiljøet i Kristiania. Romanen utkom i mai 1893 og fikk dårlig kritikk. Men da var Hamsun allerede dratt sin kos. Straks korrekturen var levert i april, satte han seg på toget til Paris.

*

Hamsun slenger kortene i bordet.

– Du er en tosk, Egge! stønner han.

Egge, Castberg og Hamsun sitter sammen på Hamsuns hotellværelse i Rue de Vaugirard 8 og spiller tremannswhist.

– La oss ta en tur på Regencen isteden. Det er sikkert en eller annen idiot som har skrevet noe tåpelig om meg i avisene igjen, sier Hamsun.

De tre kameratene spaserer sakte langs muren ved Luxembourg-hagen, krysser Seinen, passerer Notre Dame, setter kursen mot Montmartre. Hamsun har sin nye pels og skinnlue på. Damene snur seg etter ham. Straks de har svingt inn døra til kafeen, kommer kelneren ilende til, bukker for Hamsun, bringer ham de siste skandinaviske avisene – han vet hvilke han pleier å lese.

Hamsun fordyper seg i avisene. Jo, ganske riktig. Her er det en innsender som beskylder ham for å være en bløffmaker og en kulturløs villmann. Hamsun ler og rister på hodet, lar blikket streife omkring i kafeen og får øye på den kjente svenske fortatteren August Strindberg. Vill i blikket. Mannen er spikende gal! Fattig som ei lus. Selv hadde han ikke mange kronene, likevel hadde han lånt Strindberg penger. Det fikk han knapt et takkens ord for. Han hadde til og med organisert en pengeinnsamling i den skandinaviske kolonien, men da hadde Strindberg blitt fra seg av raseri og nektet å ta imot en eneste øre. Han var stolt som en hane og enormt selvopptatt. Hamsun hadde alltid beundret ham som forfatter. Han hadde også forsøkt å få ham til venn. De hadde gått turer sammen, til og med planlagt å reise gjennom Europa, Strindberg skulle spille gitar, og han skulle synge. Slik skulle de tjene til livets opphold. Men nå kan det være nok. Strindberg snakker bare om seg selv og er så humørsyk at det ikke er til å holde ut.

Hamsun konsentrerer seg om avisa igjen, men gir snart opp, reiser seg, nikker til Egge og Castberg og går hjem til hotellværelset. Det er her han tilbringer mesteparten av sin tid under Paris-oppholdet. Han tumler med stadig nye planer – og skriver, skriver …

*

Hamsun forsøkte å lære seg fransk. Han var grundig lei av å bli kalt kulturløs. Nå ville han slå seg ned i den europeiske kulturens hovedstad og bli en dannet mann.

Men Hamsun fikk aldri noe tak på det franske språket. De få han var sammen med i Paris, var skandinaver, og de snakket sitt eget morsmål når de møttes. Mange nordiske kunstnere og forfattere oppholdt seg i Paris i kortere eller lengre tid på slutten av 1800-tallet. De møttes som regel på Café de la Regence. Her vanket også Hamsun, men for det meste holdt han seg for seg selv. Av og til tok han imot gjester. Som oftest spilte de kort – Hamsun var hele sitt liv en lidenskapelig kortspiller – eller de gikk turer langs Seinen eller i Luxembourg-hagen.

Hamsun følte seg ensom i Paris. Han var ofte syk og lengtet hjem. I tankene vendte han stadig oftere tilbake til barndomsårene på Hamarøy – havet, fjellet, skogene, nordlandssommerens evige dag. Alle de mange angrepene på hans person begynte å tære på humøret, selv om han forsøkte å heve seg over dem. Han var trett av landstrykerlivet. Kanskje var det på tide å slå seg til ro? Finne et passende kvinnfolk og gifte seg?

Helt siden Lillesand-tiden hadde han brevvekslet med Bolette Pavels Larsen i Bergen. Nå skrev han til henne og bad henne og mannen om hjelp til å finne et passende «kjerringemne».

– Men hun må ha penger, – ellers er det likegyldig hvordan hun ser ut. For jeg ser heller ikke så fin ut nå.

Tonen er selvironisk, men ikke uten en biklang av alvor.

*

Den første tiden i Paris brukte Hamsun til å skrive ferdig en roman fra kunst- og forretningsmiljø i Kristiania. *Ny jord* utkom på Philipsen forlag i november 1893, og den fikk enda dårligere kritikk enn *Redaktør Lynge*. Mens han skrev på den, ble han kjent med en tysker. Møtet med ham fikk stor betydning. Mer enn noen annen kom Albert Langen til å gjøre Hamsuns navn kjent i utlandet.

Langen var født i München, kom fra en rik familie og hadde selv flust med penger. Da Hamsun møtte ham, levde han det glade liv blant litterære berømtheter i Paris. En dag foreslo en av vennene at han skulle starte et forlag, og det syntes Langen var en god idé. Da Hamsun fortalte at den tyske forleggeren til *Sult* ikke var interessert i å gi ut *Mysterier*, bestemte de at *den* skulle bli Langens første utgivelse. *Ny jord* ble valgt isteden, men den neste boka på Albert Langen forlag var nettopp *Mysterier*.

*

I januar 1894 ryddet Hamsun skrivebordet og gikk i gang med en ny roman. Den hadde vært i tankene hans en god stund. I Paris modnet den. Det var hjemlengselen og ensomhetsfølelsen som utløste skrivingen. Han kjente til den franske filosofen Rousseaus berømte slagord – Tilbake til naturen! – og det var nettopp naturen han lengtet tilbake til – den nordnorske naturen – der han vandret omkring i asfaltørkenen Paris.

Nagel i *Mysterier* hadde av og til forlatt hotellværelset sitt og tatt veien ut i skogen for å finne fred og føle samhørighet med «allnaturen». Men det var bare i korte stunder av gangen. Nå så Hamsun for seg en bok om en mann som slo seg ned i naturen for lengre tid – på flukt fra sivilisasjonen. Ideen sprang ut av hans egen sinnsstemning. Han følte seg fremmed i byen, han lengtet tilbake, han ville hjem.

Men han fikk ikke sving på skrivingen. Penger hadde han heller ikke. Langen gav ham 300 francs, og de hjalp ham over den verste krisen. Men inni seg følte han at Paris ikke var noe blivende sted. Ideen kunne fødes her, men det var også alt. I juni holdt han det ikke ut lenger. Han tok toget til en by i Nord-Frankrike og første båt til Norge. Over Nordsjøen blåste det kraftig. Første stoppested var Kristiansand. Grønn i maska og i elendig humør gikk

Hamsun i land. Men den rette ansiktsfargen vendte hurtig tilbake, og humøret med den.

I flere måneder ble han boende i Kristiansand. Han leide seg et rom i et sørlandshus i utkanten av byen. Og nå løsnet det. Det var som en rus.

Han skriver begeistret til Langen og forteller hva boka handler om.

«Forestill deg Nordland i Norge, samenes område, mysteriene, den veldige overtroen, midnattssolen, forestill deg Rousseau i disse områdene, at han blir kjent med en nordlandspike – slik er min bok. Jeg forsøker å få tak på naturdyrkingen, følsomheten, hypernervøsiteten i en sjel som Rousseaus.»

I slutten av oktober setter han punktum og sender manuskriptet til Philipsen i København.

*

«I de siste dager har jeg tenkt og tenkt på nordlandssommerens evige dag.»

Slik lyder den første setningen i *Pan*. Tonen blir straks slått an, og den blir holdt fast gjennom hele denne korteste av alle Hamsuns romaner.

«Hvert kapittel er et dikt,» skriver han i et brev. «Hver linje er gjennomarbeidet. Jeg lyver ikke når jeg sier at hvert kapittel har kostet meg en ukes arbeide, selv om de er korte. Overalt er det syner, eventyr, symboler.»

Handlingen er uhyre enkel, på grensen til det banale. Hovedpersonen, løytnant Glahn, har slått seg ned i et nordnorsk fiskevær. Han bor i en hytte i kanten av en skog og lever av den fisken han selv fisker, og de dyrene og fuglene han skyter. Han elsker freden og friheten som ensomheten i naturen gir. Men hvor lenge var Adam i Paradis? En dag møter Glahn handelsmannens datter, Edvarda, og de innleder et hektisk og lidenskapelig kjærlighetsforhold. Som leser vet vi allerede fra starten av at forholdet ikke vil vare. For Glahn elsker *drømmen* om Edvarda høyere enn Edvarda selv. Derfor må han holde henne på avstand. Han støter henne fra seg og bryter opp. Men han kan aldri glemme henne. Noen år senere sitter han i India og skriver ned fortellingen om sine opplevelser i Nordland, og i en epilog får vi vite at han ender sitt liv like tragisk som Nagel i *Mysterier*.

Det sies om Glahn at han har dyreblikk, og at hytta hans ligner et hi. Men Glahn er ikke en naturens sønn. Han er et nervøst bymenneske, slik Nagel var, og slik Hamsun selv hadde utviklet seg til å bli. I bunn og grunn handler derfor *Pan* om det umulige i å vende tilbake til naturen. Har man en gang brutt opp, er den opprinnelige uskylden gått tapt.

*

Med *Pan* var Hamsuns lykke gjort. Den fikk overstrømmende positiv kritikk. Glemt var *Sult* og *Mysterier* og de litterære foredragene. Selv hans argeste motstandere satte pris på den. Men fortsatt satt det et agg igjen. Hamsun *var* en villmann og en bløffmaker, mente de. *Pan* kunne ikke rette opp *det* inntrykket.

Hamsun hviler ikke på sine laurbær. Han er tilbake i Paris igjen og presser fortsatt seg selv til det ytterste. Klokka 11 om kvelden setter han seg til å skrive og driver på til 7-8 om morgenen, sover noen timer, går i gang igjen, spiser middag og leser aviser på Regencen, tar en middagslur fram til 11, og så er det på'n igjen.

Over jul går han i gang med et skuespill. Det blir han ferdig med i løpet av vinteren. I april 1895 setter han strek for *Ved rikets port*. Nå befinner han seg på sammenbruddets rand. Han har arbeidet nesten konstant i fem år – bare avbrutt av en kraftig rangel i ny og ne. Fem romaner og et skuespill har han skrevet på de fem årene, pluss et hopetall avisartikler og et pent antall noveller. Han føler seg utbrent. Han er lei av litteratur. Han har ingen glede av litteratur mer, nei, ikke *virkelig* glede. Litteratur, det er jo bare bøker! Han har lengtet etter berømmelse, nå er han berømt.

Hvorfor presse seg på denne måten? Hvorfor ikke ta livet med ro, leve normalt, leve som et alminnelig menneske?

Han er grundig trett av Paris også. Nå skal han reise hjem, og denne gangen for godt. Tilbake til Paris vil han ikke mer. Han skriver til Philipsen og ber på nytt om forskudd. I begynnelsen av juni bryter han opp og drar direkte til Balberg sanatorium i Fåberg.

*

«Du må absolutt komme, og det på røde rappen. Ta med portvin og sherry. Her er plenty med damer, i alle aldre og alle nyanser. Frk. Lund vil synge, og

Hamsun flørter med
damene på Balberg
sanatorium.

jeg skal deklamere for deg. Om nettene skal vi rangle, og om dagene skal vi gå tur.»

Hamsun er i høyt humør. Han har lagt kraftig på seg og fått tilbake fargen i kinnene i løpet av de månedene han har vært her. Det er fest og glade dager. Han flørter med damene og lever et bekymringsløst liv.

Nå vil Hamsun ha sin gamle venn, vinhandler Julius Gundersen fra Kristiansand, opp hit til seg på sanatoriet.

– Her skal feires …

Hva skal feires?

Det kan være det samme. Kom med sherryen og portvinen. Drikk og vær glad!

*

Han kom til hektene i Fåberg. Men her kunne han ikke bli. Etter noen måneder flyttet han inn i et pensjonat på Ljan utenfor Kristiania. Her fant han verken rast eller ro. Årene fra 1895 og framover er de mest desperate i Hamsuns liv. Han ranglet mye, men det verste var at han hadde begynt å tvile på seg selv – også som forfatter.

Han prøvde seg på litt av hvert – skuespill, dikt, noveller … Han holdt et foredrag i Studentersamfundet der han tok avstand fra dem som mente at diktere og diktning hadde så stor betydning. Trangen til å slå seg ned og falle til ro meldte seg stadig oftere.

Kanskje skulle han bli smed? Eller bonde? Det antydet han stadig overfor venner og bekjente. De visste ikke hva de skulle tro. Det lignet mest en spøk fra Hamsuns side, men likevel – selv om han spøkte, kunne han ikke legge skjul på at han var dypt misfornøyd med det livet han levde.

I april 1896 reiste Hamsun til Sør-Tyskland og besøkte Albert Langen. To måneder senere var han hjemme og drog direkte opp til Valdres. Så flyttet han på nytt inn i pensjonatet på Ljan.

Han plages av isjias, må dra inn til byen hver dag for å få massasje og annen behandling hos lege. Om natta sitter han oppe og drikker whisky, mutters alene, hver eneste natt, minst en halvflaske hver natt, som oftest mer. Han skriver på et nytt skuespill, men det byr ham imot.

«Jeg er trett av romanen,» skriver han i 1896, «og dramaet har jeg alltid foraktet. Nå skriver jeg vers, den eneste diktning som ikke er både fordringsfull og intetsigende, men bare intetsigende.»

Om høsten utkom fortsettelsen av *Ved rikets port*, som får tittelen *Livets spil*, året etter nok et drama: *Aftenrøde*. Disse tre skuespillene danner til sammen en enhet som blir kalt *Kareno*-trilogien.

Hamsun var langt nede høsten 1896. Men en dag slo lynet ned. En ung kvinne flyttet inn på pensjonatet, Bergljot Goepfert het hun, 23 år gammel, blendende vakker, allerede mor, en kvinne med en fortid. Hun var datter av en

Bergljot Goepfert, Hamsuns første hustru. Hun var 'prinsessen i eventyret', men følelsene mellom dem kjølnet hurtig.

styrtrik kjøpmann i Trondheim, ble tidlig gift med en østerriksk *playboy* og fikk en datter med ham. Fra første stund ble hun bedratt av sin ektemann. Han hadde tallrike kvinneeventyr, og hun kunne ikke holde det ut, flyttet fra ham og tilbake til Norge. Men mannen hadde nektet henne å ta datteren med. Nå bodde hun alene på pensjonatet.

Hamsun går som i feber. Bergljot er prinsessen i eventyret. Han sørger straks for at de blir presentert for hverandre. Hun faller for ham. Det er forelskelse ved første blikk. Han skriver en rekke dikt til henne. Feberdikt kaller han dem. Det er rus og galskap. I begynnelsen holder de forholdet hemmelig.

Straks det blir kjent, flytter Hamsun til en liten leilighet i Welhavens gate – for å unngå rykter og sladder. Men de får likevel ikke være i fred. En kvinne er etter dem og gjør livet surt for det nyforelskede paret. Anna Munch heter hun, og Hamsun aner ikke hva han skal stille opp mot henne.

*

Han blir aldri kvitt Anna Munch. Hun forfølger ham. Helt siden han var i Trondheim i 1891, har hun vært i hælene på ham. Til Paris kom hun sannelig også. Og nå er hun flyttet inn i pensjonatet på Ljan. Hun er sinnssyk, besatt av tvangstanker, hun elsker ham, påstår hun, og hun er overbevist om at han er like besatt av henne som hun av ham. Hun *vet* det. For henne er det sant, men en verre løgn kan ikke tenkes, ikke engang oppdiktes i en bok. Ikke i sine villeste fantasier kunne han tenkt seg å ha noe med henne å gjøre. Grov er hun, ser ut som en rød, fet flodhest. En natt han kommer hjem, har hun på uforklarlig vis skaffet seg adgang til værelset hans, står og passer ham opp i bare strømpelesten. Med list og lempe klarer han å få henne ut.

Etter at han møtte Bergljot, er det blitt enda verre. Nå har hun gått helt fra vettet, forfølger både ham og henne, sender anonyme brev i øst og vest, brev som inneholder de verste beskyldninger, giftig sladder, rene bakvaskelser. Hun påstår at han ikke har skrevet sine egne bøker. Hun beskylder ham for å leve av penger som han får fra sine gifte elskerinner. Det er ingen grenser for hva hun kan få seg til å dikte opp.

Elskerinner!!??

Bergljot lar hun heller ikke være i fred. Hun påstår at Bergljot har et umettelig behov for sex, at hun er *nymfoman* – og nettopp derfor et passende parti for Hamsun. Hun sprer rykter om at Bergljot er gravid, det rene oppspinn, selvsagt, men hva vil folk ikke tro? Brevene sender hun til kjente menn – politikere, redaktører, forleggere, fremmede mennesker, men også til hans egne venner. Løgner fra ende til annen, men hvem kan beskytte seg mot løgner? Han har advart henne mange ganger, bønnfalt henne om å la ham være i fred. Til ingen nytte. Det blir bare verre og verre. Nå sender hun til og med brev som hun undertegner i hans navn og avtaler hemmelige stevnemøter med unge kvinner, *på hans vegne*! Til Bergljots far skriver hun brev hvor hun innstendig ber ham om å berge datteren ut av klørne på Hamsun, denne arbeidssky og hensynsløse kvinneforføreren.

Våren 1897 har han fått nok. Nå har bakvaskelseskampanjen pågått i atten måneder. 23. april postlegger han et brev til politimesteren i Kristiania.

«Jeg tillater meg herved ærbødigst å anmode om at politiet vil beskytte meg mot Fru Anna Munchs (forfatterinnens) forfølgelser. For denne adferd, der bortsett fra den personlige krenkelse jeg måtte lide derved, iallfall forvolder uro og fortvilelse hos mange personer og i mange hjem, forlanger jeg fru Anna Munch anholdt, tiltalt og straffet, til å begynne med hennes mentale tilstand undersøkt.»

*

Anna Munch kastet en mørke skygge over de første månedenes lykke, men Knut og Bergljot forsøkte å heve seg over brevene hennes. I november 1897 fikk Bergljot innvilget skilsmisse, og i mars 1898 fikk hun ved kongelig resolusjon tillatelse til å inngå nytt ekteskap. 16. mai giftet de seg i Johanneskirken i Kristiania. Etter vielsen drog brudeparet på bryllupsreise til Valdres. Hamsun var i strålende humør. Han hadde vunnet prinsessen og det halve kongerike.

Men heller ikke nå, heller ikke på bryllupsreisen, kunne han legge papir og blyant vekk. Han skrev på en ny roman. Tidlig på høsten var den ferdig, og et par måneder senere utkom *Victoria*.

Ved siden av *Pan* er *Victoria* Hamsuns mest poetiske kjærlighetsroman, romantisk og svermerisk, med en handling som kunne ha vært tatt ut av en hvilken som helst skillingsvise eller ukebladnovelle. Den handler om kjærlighet på tvers av klasseskiller, om møllerens sønn, Johannes, og herremannens datter, Victoria, som er lekekamerater fra barnsbein av. De er forelsket i hverandre, men de får aldri hverandre.

Bondesønnen Knut har nettopp vunnet sin prinsesse, møllerens sønn Johannes vinner henne aldri. Dypest sett ønsker han det kanskje heller ikke. Som Glahn setter nemlig Johannes drømmen om kjærligheten høyere enn oppfyllelsen av den. Oppfyllelsen kan nemlig ikke inspirere til diktning, det kan lengselen og savnet.

Victoria er en roman om en mann som velger diktningen framfor det faste forhold – stikk motsatt av hva Hamsun nettopp så ut til å ha gjort. En underlig bryllupsgave, kan man kanskje si. Men på den annen side: i knapt noen annen norsk roman er kjærligheten beskrevet med en slik ømhet og lidenskap som i *Victoria*.

«Kjærligheten er Guds første ord, den første tanke som seilte gjennom hans hjerne. Da han sa: Bli lys! ble det kjærlighet. Og alt han hadde skapt var såre godt og han ville intet ha ugjort igjen derav. Og kjærligheten ble verdens opphav og verdens hersker; men alle dens veier er fulle av blomster og blod, blomster og blod.»

*

Høsten 1898, knapt et halvt år etter vielsen, drog Knut og Bergljot til Finland. Hamsun hadde fått det stipendiet han var blitt snytt for året før. Begge gledet seg, men oppholdet ble ikke som forventet. Bergljot fant seg ikke til rette i den kummerlige leiligheten utenfor Helsingfors. Senere fikk de en leilighet midt i byen. Det hjalp heller ikke stort.

Hamsun fikk nye venner, maleren Albert Edelfeldt, komponisten Jean Sibelius, bokhandleren Wentzel Hagelstam. De gikk på rangel, Knut kom full hjem, det kunne gå dager hvor han og Bergljot knapt snakket sammen eller så hverandre …

En dag besluttet Bergljot seg for å besøke datteren i Wien. Hun tok av sted, ble borte en god stund, vendte tilbake. Men *feberen* var over … de rosenrøde skyene var bleknet, og *de* skulle aldri rødme igjen.

IV

Hjemlengsel (1898–1911)

Veien stiger bratt oppover. Hestene sliter tungt. Fjellene i Kaukasus er høye og bratte. De slutter seg tettere og tettere om reisefølget. Bare en flik av himmelen er synlig.

Knut og Bergljot føler seg innestengt, de sitter tause i vognen, sier ikke et ord til hverandre. Plutselig tar veien en bratt sving. Et svært gap åpner seg til høyre for dem, og helt tett på kan de se Kasbek, isfjellet. Breene gnistrer hvite i sola. Fjellet står der – stille, høyt, stumt. Det er som om et vesen fra en annen verden står og ser på dem.

Knut tumler ut av vogna. Han føler det som om han blir løftet opp fra veien og står ansikt til ansikt med Gud. Med et rykk er han tilbake i barndommens Nordland. Han minnes en stille sommernatt. Solen skinte, og havet var speilglatt. Han kom roende i en båt. Fuglene tidde, og det var ikke et levende vesen å se. Plutselig dukker et hode opp av vannet. En sel ligger og ser på ham med åpne øyne. Det er som et vesen fra en annen verden.

Slike minner har stadig dukket opp underveis på reisen.

De endeløse russiske steppene, de er så øde, så bortenfor alt og alle, og det er ingenting i verden som kan måle seg med det å være avsides fra alt!

Steppene, de får ham til å tenke på dengang han som barn gikk og gjette buskapen. I godt vær lå han på ryggen i lyngen og skrev med pekefingeren over hele himmelen. Det var et makeløst liv!

Og når han ser det lyse stjerneskinnet stråle over fjelltoppene i Kaukasus, tenker han på hvordan det er der hjemme.

«Nå er det aften hjemme i Norge, nå går solen mange steder ned i havet, da er den rød, ja, i Nordland er den rødere enn mange andre steder i verden …»

Han er borte, men føler seg som hjemme, altså har han det godt.

Han liker de fattige fjellbøndene. De stiller ikke store krav til livet. De har nok med dagen i dag. De har det ikke travelt, de er naturmennesker, de er ikke ødelagt av sivilisasjonen, den ligger flere dagsreiser borte. Har de det de trenger til livets opphold, og om skjebnen ikke gjør dem syke, er de tilfredse og takknemlige. Men lider de nød og savn, godtar de også det – taust og verdig. Merkelig nok føler han seg vel til mote blant disse enkle menneskene. Han vandrer alene ut i natta, slår seg ned sammen med gjeterne og deres dyr. De hviler under stjernene og månen. Her kunne han bo, leve et liv så helt annerledes enn det han har levd. Det ville være som å vende tilbake til det som en gang var – før han begav seg ut på vandring, før rastløsheten og utilfredsheten kom inn i hans liv.

*

Eseldriver i Kaukasus. Blant mennesker som ham følte den bytrette Knut Hamsun seg hjemme.

Høsten 1899 drog Knut og Bergljot fra Helsingfors og reiste inn i Russland – den lengste reisen ekteparet noensinne kom til å legge ut på. De besøkte St.Petersburg, Moskva, Vladikaukas, Tiflis, Baku og endte til sist i Konstantinopel.

I Kaukasus-fjellene gikk de av toget, leide seg hesteskyss og drog opp i fjellene.

Hamsun ble dypt grepet av landskapet og menneskene her. Han har skildret reisen i en bok med tittelen *I æventyrland*. Her framhever han Østens ro og livsvisdom på bekostning av Vestens oppjagede livsstil og overflatiske menneskekunnskap. Reisen til Kaukasus forsterket en utvikling som allerede var i gang. Den ligner et vendepunkt i Hamsuns liv. Etterpå fikk Hamsun enda mer imot det moderne samfunn, bylivet, industrien, det evige jag etter penger, forlystelsessyken, utilfredsheten …

Hamsun var i ferd med å legge noe bak seg, han var underveis mot noe annet. Slik følte han det i alle fall selv. Mellom ham og Bergljot var tonen heller ikke slik den burde være mellom ektefeller som er glade i hverandre. På reisen behandlet han henne nærmest som et påheng, og i boka omtaler han henne bare som «mitt reisefølge». Om det de hadde opplevd *sammen*, skrev han knapt et eneste ord. Lufta var kald mellom ektefellene. Ekteskapet slo sprekker, ja, kanskje hadde det begynt å slå sprekker allerede fra første dag de var gift.

*

Etter Russlandsturen drog ektefellene til København og like før jul 1900 vendte de tilbake til Kristiania. Hamsun var rastløs og urolig. Uten å si fra til Bergljot drog han i april hjem til Hamarøy. For første gang på over tjue år så han moren og faren igjen. Han traff også gamle barndomskamerater. Det var godt å komme hjem. Var det ikke her han egentlig hørte til …? Han drog tidlig hjemmefra. Da fikk han røttene revet opp. Siden hadde han slept dem etter seg … Kunne det la seg gjøre å få dem til å gro igjen?

Han ble der i flere måneder, grudde seg for å reise tilbake. Til slutt var det ingen bønn. Han måtte tilbake til Kristiania. Men da han møtte Bergljot, var stemningen like trykket som før.

Hamsun hadde også andre bekymringer. Han følte at han var i ferd med å gå i stå som dikter. *Victoria* var en suksess, men det var to år siden. Bøkene hans solgte bra, men salget gav ikke nok penger til at han kunne leve av dem. Stipendiet var brukt opp. Bergljot hadde penger, men Knut var en stolt mann. Det plaget ham at *hun* skulle forsørge *ham*. Det såret hans stolthet, men han måtte bite det i seg.

Det var verre at han ikke fikk skrevet noe!

*

Hjulet snurrer, den lille kulen hopper og danser. Innsatsen er gjort. Sjetongene kastet. Han tørker svettedråpene fra pannen. Alt har han satset. Nå får det bære eller briste. Mye rart har han vært med på, og de galeste påfunn har han gitt etter for, men dette er toppen av galskap. En spiller har han alltid vært, men aldri har det stått så mye på spill.

Kulen stopper.

På sort!

Han har satset alle sine penger på rødt.

Nå er alt tapt, hver smitt og smule av de pengene han låntok fra Bergljot.

Hotellregningen har han ikke betalt. Penger til hjemreisen har han ikke. For den saks skyld *tør* han heller ikke dra hjem. Bergljot må for Guds skyld ikke få vite noe om dette. Får hun nyss om hva han har foretatt seg, vil han ikke være i stand til å se henne i øynene mer. Han er fanget som et dyr i en felle.

Hva skal han gjøre?

Han må skrive til noen, be om hjelp. Hvem skal det være? Hagelstam, kanskje, han er ikke rik, men … han har rike venner. Han har skrevet et par artikler til Hagelstams tidsskrift. De skal likevel sendes av sted … Det må bli Hagelstam.

Det er 21. september 1901. Hamsun står og stirrer hjelpeløst foran seg i en spillebank i Ostende i Belgia.

*

«Kjære Hagelstam, jeg er så forferdelig nedtrykt … Da min kone reiste til Helgeland, tok jeg av hennes penger uten hennes vitende og reiste hit til spillebanken i Ostende for å prøve å vinne noen tusen på ruletten. Dette er totalt mislykket, jeg har tapt 13 000 francs. Herre Gud og Fader, hva skal jeg gjøre Hagelstam? Jeg tør ikke komme hjem igjen. Du aner ikke hva jeg gjennomgikk, endog før dette kom på, – og nå er alt håp ute. Kjære, kjære Hagelstam, jeg bønnfaller deg om hjelp.»

Men pengene fra Hagelstam lar vente på seg. Hamsun må bite i det sure eplet og telegrafere til Bergljot. Hun svarer sporenstreks, sender penger. En sønderknust Knut skriver tilbake.

«Kjære Bergljot! Kjære snille deg, takk, takk … å Herregud, dette er de verste uker jeg har levd i mitt liv … Jeg er bare skinn og bein, og øynene ligger langt inni hausen på meg. Nå det er det samme. – Gud velsigne deg, Bergljot min, som ikke er ond på meg for noen ting … Jeg prøver igjen, jeg reiser en av dagene til Namur, hvor det også er spillebank, og prøver der. Gud bevare deg, hvor jeg skal gjøre mitt beste, og hvor jeg skal streve. Jeg vet hva jeg gjør det for: for deg og meg og vårt hjem og altsammen.»

Hamsun «strever» videre ved spillebordet, taper på nytt, Bergljot sender flere penger – til hjemreisen! Det kommer også penger fra Hagelstam – og enkelte kvelder vinner han noen småsummer, 300 francs, 500 francs, men som regel taper han, til slutt er alt på nytt vekk. Det er spillebanker overalt. Hele Belgia er full av dette svineriet, skriver han til Hagelstam.

Bergljot tilgir ham, det får ikke hjelpe om du har tapt, skriver hun, vi har jo så mange ting vi kan selge hvis det blir nødvendig, for eksempel møblene vi kjøpte i København.

Hamsun trygler om å bli tatt til nåde. Han skal aldri mer sette sine bein i de helvetes spillebulene, skriver han i sitt siste brev fra Belgia. Nå vil han ta båten hjem, krype til korset, legge seg for Bergljots føtter og be om nåde.

«Jeg satt for litt siden på mitt rom i skumringen og tenkte over dine kjære telegrammer og brev i denne tunge tid, og så takket jeg deg mange ganger igjen, slik jeg gjør nå. Jeg bad og tigget Gud om at han for *din* skyld ville hjelpe meg, men heller ikke det hjalp. Nåvel! – Velsigne deg for alt, Bergljot.»

*

Kort tid etter at Hamsun vendte hjem fra Belgia med halen mellom beina, ble Bergljot gravid. Han lovet dyrt og hellig at nå skulle det bli andre tider. Men snart var han på galeien igjen. Årene som fulgte var ville. Oftest var Hamsun å finne med glass i hånd på Theatercaféen, Tostrupkjelderen, Grand Café eller på andre skjenkesteder i Kristiania. Det hendte også at han drog til København. Der hadde han mange venner som var like glade i flaska som han selv. Både i København og Kristiania kunne Hamsun drikke flere døgn i strekk, og han fant på de merkverdigste ting.

Hans pengebruk bekymret ham mindre. Han var likeglad med alt. Hele tiden følte han seg ydmyk i forhold til Bergljot, men han visste godt at han hadde seg selv å takke for at alt gikk skjevt. Mellom fyllekulene skrev han og omarbeidet gamle ting. I 1902 gav han ut skuespillet *Munken Vendt* og i 1903 *tre* bøker: reiseskildringen fra Kaukasus, et skuespill (*Dronning Tamara*) og en novellesamling (*Kratskog*). Det hjalp litt på økonomien, men de tre bøkene vitner om en dikter i krise, en dikter på nedtur.

I 1904 kom romanen *Sværmere*, en lystig bagatell, en bok som var skrevet på bestilling. Nå var Gyldendal blitt Hamsuns faste forlag, og det var direktøren, Peter Nansen, som hadde bedt Hamsun skrive en bok til en ny, populær serie. *Sværmere* er en morsom bok, men litterært sett er den ikke på høyde med de store 90-tallsromanene. Boka handler om telegrafist Rolandsen, som finner opp et nytt fiskelim, blir den rike handelsmannens partner og vinner hans datter. Handlingen er lagt til Nordland, og nordlandsdialekten klinger nå for første gang med i Hamsuns prosa. Fire år tidligere hadde han vært hjemme i Salten. Dialekten satt igjen i øret hans. Både språket og handlingen i *Sværmere* vitner om at Hamsun er på vei hjemover – som forfatter.

Samme år gav han ut diktsamlingen *Det vilde kor*. I flere år hadde han nå og da skrevet dikt. Nå ble de samlet til en bok. Noen av diktene stammet fra den tiden han møtte Bergljot, blant annet de berømte «Feberdikte».

Men mellom ham og Bergljot var det ingen feber mer, bare likegyldighet, kalde skuldre, blikk fulle av is …

*

15. august 1902 fødte Bergljot en datter – en drøy uke etter Hamsuns 43-årsdag. De kalte henne Victoria – etter hovedpersonen i romanen Hamsun skrev på under bryllupsreisen. Svangerskapet var kanskje planlagt, et desperat forsøk

på å redde ekteskapet, men hvis det var planen, gikk den i vasken fra første stund. Likevel hanglet og gikk det på et vis. I 1905 gjorde ekteparet et nytt forsøk på å redde stumpene. Etter egen idé og tegning lot Hamsun oppføre en villa i Drøbak. Den stod ferdig sent på høsten. Men Knut, Bergljot og Victoria hadde knapt flyttet inn før ekteparet tok ut separasjon i mars 1906. De ble enige om at datteren skulle bo hos moren de første fire årene, men at hun skulle være sammen med faren i sommermånedene.

Villaen i Drøbak står ferdig. Husherren taler til sine arbeidere.

Etter ekteskapsbruddet fartet Hamsun enda mer omkring enn før. Lengst tid oppholdt han seg på Utsikten pensjonat på Nordstrand. Her fikk han besøk av Victoria. Han forgudet henne, overdynget henne med gaver, tok henne med på turer, et år bodde far og datter sammen hele sommeren på et hotell i Kongsberg, de spaserte omkring i gatene, ble en del av bybildet – den berømte forfatteren og hans femårige datter.

Separasjonen var ingen katastrofe, Hamsun følte det snarere som en lettelse. Det var andre ting som plaget ham mer. I 1907 fylte han 48 år. Han var ingen ung mann lenger. De mange ranglene, den uregelmessige livsførselen, den anstrengende skrivingen – til sammen begynte alt dette å tære på kreftene. Han følte seg gammel og utbrent, men han hatet tanken på å bli gammel. Gamle mennesker var bare til bry.

27. april talte han i Studentersamfundet. «Ærer de unge», kalte han foredraget. Fra talerstolen rettet han kraftige angrep mot det han kalte tidens «oldingedyrking». Det var ikke de gamle som skulle æres, hevdet Hamsun, det var de unge. I beste fall kunne man vise medlidenhet med de gamle.

Det fantes ville stammer som resolutt tok livet av de som var blitt så avfeldige at de bare var til bryderi. Det var kanskje ikke så dumt, mente Hamsun. Menneskene ble stygge med årene, gamle mennesker gikk stygt, spiste stygt, de mistet håret og ble lutrygget, deres blikk var tomme … Hvorfor skulle de avfeldige hedres, de hadde gjort sitt, det var snart ute med dem … Det var de unge som hadde framtiden for seg.

Foredraget oste av forakt for eldre mennesker, men det handlet også om Hamsuns *angst* for selv å bli gammel – uten at dette ble nevnt med et ord.

Årene gikk, ungdommen var for lengst forbi … Tanken på fortiden opptok Hamsun stadig mer – lengselen tilbake til det som en gang var, til den tid da livet lå foran ham …

Samme år som Hamsun talte de unges sak i Studentersamfundet, utgav han en roman som bar preg av nettopp slike stemninger.

Hovedpersonen i *Under høststjærnen* heter det samme som forfatteren selv før han tok navnet Hamsun. Som sin opphavsmann er han dikter. I begynnelsen av boka flykter Knut Pedersen fra byens larm og trengsel. Han er lei av kafélivet og de intellektuelle diskusjonene. Han vil ut på landet og leve som vanlig arbeider igjen. Men han kan ikke løpe fra seg selv. Han har lært å bli fin på kafeene, og han klarer ikke å legge av seg byfaktene når han trekker i fillete klær og søker jobb som gårdsarbeider.

Kjærligheten vil han også legge bak seg, men heller ikke det lykkes han med. Han faller for en kvinne, like grundig og nesegrus som han gjorde den gang han var ung. Men noe forhold blir det aldri. Det er den samme historien som i Hamsuns tidligere romaner. Personene hans lykkes sjelden eller aldri i kjærlighet. Kanskje ønsker de at det skal være slik …? Det er drømmen og lengselen som smaker best …

Under høststjærnen er en vemodig roman. Hovedpersonen finner ikke den roen han søker etter. Han ender på nytt i byen – med vin og whisky og tjue dagers rangel – like rotløs og rastløs som før. Det nytter ikke å vende tilbake, det er romanens klare budskap.

«Vi er dårlige mennesker og til noen slags dyr duger vi heller ikke.»

*

I et par år hadde Hamsun hatt Kongsberg som fast base. Han var urolig og rastløs, men her fant han en slags ro. Han skrev og skrev – og han fikk den ene boka etter den andre fra hånden. Som forfatter var han på vei bort fra 90-årenes intense skildringer av det enkelte menneskets sinn. Beskrivelsen av miljø og samfunn fikk større plass enn før, og etter hvert kom bøkene hans til å ligne mer og mer på de Kielland-romanene han tok så kraftig avstand fra i de litterære foredragene han turnerte med i 1891.

Kongsberg lå passe langt fra hovedstaden, langt nok til at Hamsun ikke lot seg dagstøtt friste til å legge blyanten fra seg og gå på kafé, og kort nok til at han kunne ta turen til byen hvis fristelsen ble *for* stor. Som forfatter hadde han også ærend i byen, og han drog jevnlig dit.

Våren 1908 hadde Nationaltheatret planer om gjenoppføre *Livets spil*. En dag i april stod Hamsun i lobbyen på teatret. Han hadde en avtale med Vilhelm Krag, teatersjefen. Samme dag var også en av teaterets nye, unge skuespillerinner innkalt til samtale.

*

«Nei Herregud så pen De er da, barn! Og slike englehender De har!»

Vilhelm Krag presenterer Marie for Knut. Han inviterer henne på et glass vin. De krysser Stortingsgata, svinger inn døra til Theatercafeen, stamgjesten Hamsun får straks et bord.

De måler hender, og Marie tør ikke protestere selv om hun vet at det betyr ulykke. Ja, så stor respekt har hun for den verdensberømte dikteren at hun knapt våger å åpne munnen.

Det kommer vin på bordet. Hamsun sludrer videre. Det er så lenge siden han har sittet sammen med en ung dame på kafé. Han kan ikke ta øynene fra henne. Hun er en åpenbaring, blendende vakker, et syn for guder … Det er bare en time siden de møttes i foajeen på Nationaltheatret. Marie er nettopp blitt tatt opp som elev der, og teatersjefen har halvveis lovet henne at hun skal få spille den kvinnelige hovedrollen i *Livets spil*.

Marie drister seg til å spørre Hamsun om han vil hjelpe henne med rollen, få henne til å forstå den bedre.

Han lover, og lover ikke. De prater om stort og smått. Etter vinen følger han henne tilbake til teatret og tar farvel.

Neste dag står en høy vase med 26 roser og venter på Marie hos portieren. Tre dager senere frir Hamsun til henne. Etter en uke har hun lovet å gifte seg med ham.

*

Marie Andersen var 26 år gammel og en lovende skuespillerinne da hun møtte den 48-årige forfatteren. I fem år hadde hun turnert med et privatteater, og i like mange år hadde hun levd i et «papirløst» forhold med sjefen for teateret, Dore Lavik. Det var han som hadde oppdaget henne, og i flere omganger hadde de reist rundt med skuespill av Hamsun. I 1908 bodde Marie fortsatt sammen med Lavik. Da Knut og hun satt på Theatercaféen, var samboeren bortreist. Og Hamsun var ikke den mann som lot sjansen gå fra seg. I løpet av en eneste kort uke klarte han å sette hele Maries verden på hodet.

Bildet til høyre: Skuespillerinnen Marie Andersen. «Nei Herregud så pen De er …»

Han beleirer henne med røde roser og lidenskapelige kjærlighetsbrev. Han vet han har funnet den rette. Han vil ha Marie for enhver pris. Bare noen få dager etter møtet på Theatercaféen skriver han:

«Marie, min, jeg er din så inderlig. Jeg elsker deg, elsker deg, jeg sier det av hele min sjel. Og Gud velsigne deg fordi jeg har fått treffe deg i livet ... Marie min, Marie min, Gud hvor du er vakker, du vet ikke spor av at du er den deiligste i verden. Nå ser jeg deg komme mot meg – prinsesse.»

De to første ukene er de sammen hver dag. Så må Hamsun dra tilbake til Kongsberg, der Victoria og arbeidet med en ny roman venter på ham. Brev etter brev sender han av sted, der han bedyrer hvor høyt han elsker henne. Han kan ikke leve uten henne, hun er alt for ham, verden vil gå under hvis hun ikke gifter seg med ham.

En ny tone kommer inn etter hvert. Hamsun er sjalu – over alle grenser sjalu. Han tåler ikke å se andre menn i nærheten av Marie, han tåler knapt at hun snakker med en annen mann, bare *tanken* på at hun snakker med andre menn mens han er i Kongsberg, bringer ham helt ut av fatning. Bøkene betyr ikke lenger noe for ham, påstår han, det er bare Marie som betyr noe.

«Du, jeg vil ikke sitte her og skrive litteratur til deg og gjøre gode brev til deg, og du er så inderlig fin og naturlig at du skjønner jeg har annet på hjerte enn litteratur nå. Min elskede på denne jord. Jeg er meget opprevet, vet du min venn, det er iblant så ondt å være på kafé med deg fordi du er opptatt med andre enn den som taler og det som tales til deg, du ser alle steder hen.»

Det blir verre og verre. Hamsun vil ha Marie helt for seg selv. Han avkrever henne løfter, trygler og ber, for så i neste setning å kritisere henne for å være sammen med folk som ikke er henne verdig. Og han rakker systematisk ned på alle hennes bekjente i teaterverdenen.

«Det er jo bare vankundig krapyl som driver deg omkring benene på teatret, du er dem alle så overlegen ...»

Han vil legge sitt liv for hennes føtter, erklærer han, men hun, hun setter sine roller og sin teaterkarriere høyere enn ham. Hamsun er syk av sjalusi, han vil herske over Marie, han tåler snart ingenting, hun må avbryte sin karriere og følge ham, om det så er til verdens ende – «min elskede på jorden, mitt indre er som en have drivende full av blomster.»

I et av brevene går Hamsun så langt at han ber Marie om at hun skal si til en bestemt mann at han for all framtid må unnlate *å hilse* på henne!!

«Kunne du si bent ut at du ikke ville svare. Spør han så hvorfor, så kunne du si: Fordi jeg føler meg absolutt nedverdiget ved det.»

Han vet at han er sjalu, og at han av og til går over streken. I lyse øyeblikk ber han henne om tilgivelse og lover bot og bedring, men det hjelper ikke. Snart er det på samme viset.

Det som plager Hamsun aller mest, er tanken på Lavik. Når han omtaler forholdet mellom Lavik og Marie, er han på sitt aller mest hensynsløse.

Marie var fortsatt glad i Lavik. I det minste hadde hun fortsatt stor respekt for ham og følte at hun hadde sviktet ham etter at hun møtte Hamsun. Det psykiske presset og den dårlige samvittigheten ble for mye for henne. I juni ble hun alvorlig syk og måtte legges inn på sykehus. Mens hun lå der, fikk hun telegram fra Bergen med beskjed om at Lavik var død etter å ha blitt operert for tarmslyng. Marie bebreidet seg selv grenseløst.

Det var hennes skyld! Hun hadde tatt livet av Dore!

Hun telegraferer til Hamsun på Kongsberg. Han kunne ikke leve uten meg, skriver hun. Samme kveld river Hamsun av seg et bitende svarbrev som han sender neste dag.

«Nei, det kunne han vel ikke, han som hadde tarmslyng.»

Hamsun er full av selvmedlidenhet og selvrettferdighet. Marie har egentlig aldri elsket ham, skriver han. Det har *aldri* vært ham hun har hatt først i tankene. Ikke en eneste liten ting har hun husket ham med. Ikke en liten blomst engang. Isteden har hun flommet over av betroelser fra sitt tidligere liv. Ikke engang de mest intime detaljer har hun forskånet ham for. Likevel elsker han henne. Det er ikke til å begripe, hun som aldri holder opp med å slynge ham i ansiktet at det aldri kan bli til noe mellom dem.

Han gjør hva han kan for å hindre henne i å sette inn en dødsannonse, men Marie er sterk nok til å stå imot presset. Annonsen blir rykket inn, undertegnet Marie Lavik.

Hamsun ser rødt.

«Vær du *Fru Marie Lavik* så lenge du vil, – du setter mer pris både på tittelen og navnet enn jeg gjør.»

Ja, for hans skyld må hun gjerne stase seg opp i svart kjole, gjøgle videre i bedrøvelse over den døde elskeren og felle alle de tårene som han har hindret henne i å felle.

Og det fortsetter på samme viset – også etter at Lavik er begravet. Hamsun er besatt av Marie, eller kanskje rettere sagt: han er besatt av sin egen kjærlighet til henne. Kjærligheten gjør ham til en hensynsløs tyrann. Han krever alt av henne. Han tvinger henne til å slutte ved teateret. På død og liv vil han ha henne vekk fra den usunne bykulturen. Sammen skal de flytte på landet, leve i pakt med naturen, kjøpe en gård, dyrke jorda.

Å bli bonde hadde lenge vært Hamsuns drøm. Nå blir det en fiks idé. Og Marie må brenne alle broer for at han skal få oppfylt denne drømmen.

*

Da Knut Hamsun møtte Marie Andersen, var han fortsatt formelt gift med Bergljot. Våren 1908 fikk han innvilget skilsmisse, og 25. juni samme år giftet han og Marie seg hos byfogden i Kristiania. Etter en kort bryllupsreise til Lier utenfor Drammen, drog Hamsun – uten Marie – opp til Sollien ved Rondane der Victoria ventet på ham sammen med barnepiken. Her skulle han skrive videre på sin nye roman.

Selv i denne begivenhetsrike tiden klarte Hamsun å holde skrivingen ved like. Selv nå, i forlovelsestiden og kort etter bryllupet, brukte han størsteparten av tiden til å skrive. Når dikteren Hamsun hadde behov for å være alene, måtte Marie vike. Trengte han henne, måtte hun stå til rådighet. Fortsatt følte han seg ikke trygg når hun var borte fra ham. Han hadde reist vekk og overlatt henne til seg selv. I byen! Og Marie hadde ennå ikke lagt av seg de dårlige byvanene. Det skrev han til henne, full av bekymring.

En lang rekke brev strømmer fra Sollien til Kristiania.

«Marie, jeg elsker bare deg, bare deg. La nå all løshet og forfengelighet og skitt og møkk fra bylivet fare. Vi skal være på landet. Også derfor vil jeg være på landet at du der ikke har mange leiligheter til å falle tilbake, om du en dag kan bli lei og kei av meg. I byen kunne du bare stå stille et øyeblikk på gaten, så kom det mannfolk …»

I brev etter brev maser Hamsun om det usunne bylivet og om alle de hersens mannfolka som aldri lar Marie få være i fred. Kanskje kan hun få gå til kjøpmannen alene, han har ikke riktig bestemt seg ennå, men han synes nok det vil være rimelig at hun får lov til det.

«For en landhandler kan nå vel for Fan ikke få deg bort fra meg.»

*

I perioden like før og etter at Hamsun møtte Marie, skrev han romanene *Benoni* og *Rosa* (begge utgitt 1908) og en ny bok om Knut Pedersen med tittelen *En vandrer spiller med sordin*.

Handlingen i dobbeltromanen er lagt til samme sted som handlingen i *Pan*, det oppdiktede handelsstedet Sirilund i Nordland, og selv om kjærlighet også er et viktig motiv i disse to romanene, så er det en helt annen type bøker enn *Pan*. De har et stort persongalleri, og miljøskildringen er det viktigste. Her øser Hamsun for første gang av sin brede kunnskap om barndommens Nordland. Hovedpersonen er en ganske alminnelig mann av folket. Benoni heter han og går med posten, slik Hamsun selv hadde gjort som barn. Med kløkt og hell slår han seg opp og blir den store handelsmannens kompanjong på samme vis som Rolandsen i *Sværmere*. Han blir til og med gift med prestens datter, Rosa, selv om hun elsker en annen, og de to har lite til felles.

I *En vandrer spiller med sordin* møter vi på nytt den aldrende Knut Pedersen. Han har dratt ut på landet igjen og dyrker fortsatt en umulig kjærlighetsdrøm. Boka ender tragisk, ikke for Knut, men for den kvinnen han er forelsket i. Hun er gift, men har bedratt sin ektemann og skuslet bort sitt liv på en annen, som ikke viser seg å være hennes kjærlighet verdig. Til slutt tar hun sitt eget liv. Knut har bare vært en tilskuer til det som er skjedd, til at den kvinnen som han selv er betatt av, går i hundene. Denne gang havner han ikke i byen igjen, han slår seg ned i en hytte langt borte fra folk. For det er skogene og ensomheten han hører til …

Her finner han til slutt den roen han lengter etter.

«Så sitter jeg igjen og hører suset i skogen. Er det Egeerhavet som ligger og lyder, er det havstrømmen Glimma? Jeg blir svak av å sitte og lytte, erindringer veller opp i meg fra mitt liv, tusen gleder, musikk og øyne og blomster. Det er ingen herlighet til som suset i skogen, det er som å gynge, det er som galskap: Uganda, Tananarivo, Honolulu, Atacama, Venezuela …»

I *En vandrer spiller med sordin* melder hovedpersonen seg ut av samfunnet. Det er ikke noe nytt i forfatterskapet, men samfunnskritikken er skarpere og mer direkte enn før. Boka er preget av en sterk skepsis til tiden og samfunnsutviklingen, av en motvilje mot byliv og industri og penger og alt som hører den moderne tid til.

Hamsun er på vei til å bli forkynner og profet. Han passerer snart femti og står ved en skillevei – både i livet og litteraturen. Nå er tiden moden for å realisere drømmen om et liv på landet. Hamsun føler årene tynge, nå vil han slutte ringen, vende hjem, slå seg ned nordpå, finne tilbake til et miljø og et samfunn som ennå ikke er blitt ødelagt av utviklingen.

Det er ikke bymannen som holder nasjonen oppe. Det er ikke dikteren som viser vei. Det er bonden. Det er han som er landets ryggrad. Og nå vil dikteren Hamsun bli bonde.

For diktning, det er bare unyttig fjas!

Mente han det …?

I så fall løy han for seg selv.

Et stykke på vei skiftet han livsstil, men i sitt indre var han den samme. Landstrykeren ville bli bonde, men som ung hadde Hamsun tatt et valg som ikke lot seg omstøte. Han ville bli dikter, og han fortsatte å være dikter. Når poesiens gud kalte på ham, måtte bonden vike.

V

Bonde og landstryker (1911–1918)

Svarte skyer jager over himmelen. Det er snø i lufta. Sjøen går hvit.

Han stirrer ut av vinduet, urolig til sinns.

Influensaen er gudskjelov over. Det har vært to strie måneder. Kanskje har det hjulpet at han kom seg vekk, vekk fra gården på Hamarøy, og hit til dette fredelige pensjonatet på Sortland. Hjemme er det ikke fred å få. Alltid er det noe han skal se til, det er et styr, dag ut og dag inn. Hovedbygningen er heller ikke så praktisk. Arbeidsværelset ligger ikke der det skal, og tjenestefolkene mangler skikkelige rom. Det blir neppe bedre nå når det kommer en skriker-unge i huset. Ikke slik at det er ham imot, nei, nei, så langt ifra, over alt på jord har han ønsket seg et barn med Marie. Men likevel …

Nå nærmer tiden seg. Det var ikke mange dagene igjen da han reiste …

Skulle han ha blitt værende hjemme?

Nei, han måtte vekk. Det er den nye boka som romsterer i hodet på ham.

Og hvordan vil han reagere, vil han å tåle å bli vekket om natta av barne-skrik? Vil han klare å falle i søvn igjen …?

Nei, det vil han ikke. Han *tåler* ikke barneskrik.

Han reiser seg fra skrivebordet, vandrer fram og tilbake i værelset. Influensaen er over, men likevel føler han seg ikke frisk. Det er vel sjøsyken som sitter i. Sjøen var stri over Vestfjorden. Stiv kuling og snøfokk. Temmelig bleik om nebbet vaklet han i land på kaia og tok strake veien opp til pensjona-tet. Her er det greit nok. Men kosten er elendig, bare halvråtten hermetikk og kunstig mat på boks, det er ikke så rart at han bare er skinn og bein.

Merkelig i grunnen hvor slapp han føler seg. Det er vel alderen. Håret det-ter av og legger seg som tørr mose på hodet. Det er et tegn på at han vantrives.

Nå må han for Guds skyld få spekulert ut noe så han kan komme videre med skrivingen.

*

Neste dag, torsdag 7. mars 1912, får Hamsun telegram fra Marie med beskjed om at hun har født en sønn dagen i forveien, at det er gått som det skal, at alt står bra til med mor og barn. Full av begeistring setter han seg straks ned for å skrive til Marie.

«Nei jammen er du så svær at! Og ikke før kommer jeg meg ut av huset før du utretter så store ting. Til lykke da Vensa og Gud velsigne deg, og der ser du hvor godt og greit det gikk. Jaja, jeg vet nå naturligvis ikke om det ikke var svært ondt for deg – det var det nok – men nå er det over, hurra, og nå har du bare å ta det med ro og bli bra igjen.»

Nesten hver dag skriver han brev til Marie, glade brev, brev fulle av bekymringer over hvordan det går.

«Har du melk til barnet eller får han av Svarta? Får du sove om natten? Hvorfor har han så svart hår? Skal vi kalle ham Tore etter vikinghøvdingen Tore Hund? Kommer vi til å skjemme ham bort? Førstefødte driver det sjelden til noe her i livet, nettopp fordi de er bortskjemt …»

Alt ordner seg nok til det beste. Han skal sørge for at de får tilsendt en kasse appelsiner fra Svolvær … Ellers kan han fortelle at han har kjøpt en svart strutsefjær til hatten hennes. Han skal sende den en av de nærmeste dagene.

Selv kommer han ingen vei, han vantrives, går omkring som en gris, barberer seg ikke, skifter ikke skjorter, ligger timesvis våken om nettene og raser og banner …

I slutten av april gir Hamsun opp og reiser hjem for å se til moren og den nyfødte.

Han holder seg hjemme sommeren 1912, men i begynnelsen av september er han på farten igjen. Denne gangen slår han seg ned i Junkerdalen, en sidedal til Saltdalen, milevis fra nærmeste bygd. Han får graut hver dag. Men det

Bildet til høyre: Knut Hamsun på Hamarøy. Den berømte dikteren var ikke sjøsterk. Dette er et av de få bildene hvor han poserer i nærheten av en båt.

kan være det samme, bare han får skrevet noe. Han føler seg elendig, det er sjø- og magesyke, svimmelhet, frysetokter …

Herfra sender han også en rekke brev til Marie, brev med formaninger og beskjeder, om alt fra gjødsling og potetopptak til torvstrø og fjøsstell … Og kjærlige ord innimellom.

Marie er blitt bondekone. Det er hun som står for den daglige driften. Hun går i fjøset, melker kyr, spar opp åkeren, gir ordrene fra ektemannen videre.

Var det slik hun hadde forestilt seg tilværelsen da de flyttet nordover? Var det dette livet Hamsun hadde forespeilet henne?

Jo, hun har ikke noe imot gårdsarbeidet, hun trives med det, hun er i ferd med å slå rot. Det er bare det at Knut er så lite hjemme. Alltid må han vekk. Begynner han å bli lei henne, nå når han har fått henne dit han ville …?

*

Knut og Marie flyttet til Hamarøy i april 1911. Etter at Hamsun var nordpå i 1900, hadde han brevvekslet med en gammel barndomsvenn, Georg Olsen, som var poståpner i Hamarøy. I et brev kunne han fortelle at det var en gård til salgs på Opeid.

Høsten 1910 hadde Knut og Marie slått seg ned i Elverum. Noen uker over jul fikk de brevet fra Georg Olsen, brøt straks opp og reiste nordover – først med tog til Trondheim, så med hurtigruta til Bodø og endelig med lokalbåt til Hamarøy.

Handelen ble avgjort på stedet. 6000 kroner kontant og gården Skogheim var Hamsuns. Marie reiste alene tilbake til Elverum, pakket og vendte etter kort tid tilbake med møbler og klokker, bøker og malerier – og et piano. Både Knut og Marie var i fyr og flamme. Begge var interessert i jordbruk og gikk med liv og lyst opp i gårdsdriften. De overtok tre kyr fra den forrige eieren, kjøpte seg gris, hest – og en ku til. Det var vår, dagene ble lengre og lysere, i bakkehellingene begynte gresset så smått å spire, Marie og Knut gikk løs på jorda med spett og spade, vendte gresstorvene, satte poteter, sådde gulrot- og kålrotfrø, gikk i gang med å reparere uthus og reise gjerder som hadde falt ned. De hadde fått oppfylt drømmen om et liv nær jorda og i pakt med naturen.

Måne over Skogheim
– gården til Marie og
Knut på Hamarøy.

Men livet på Skogheim var ikke bare harmoni. En slange gjemte seg i paradiset.

Hamsuns drøm om å bli bonde var nok ærlig og oppriktig ment. Han hadde protestert mot å bli kalt dikter og ble irritert når det stod «forfatteren Hamsun» utenpå brev som han mottok. Han var bonde, og det ville han bli kalt. Skulle det stå noen tittel, måtte det være bonde.

Bondetittelen var langt på vei et bedrag. Det var dikter han *var*, samme hva han gav seg ut for å være, og det var dikteren som var slangen i paradiset.

Dikterne er i slekt med lirekassemenn, hadde Hamsun uttalt i et foredrag i 1897, de er ikke fastboende, de er landstrykere, de har sitt hjem overalt og ingensteds. Og *dikteren* Hamsun var også en landstryker.

I de årene familien Hamsun bodde i Nordland, var bonden og husherren bortreist minst tre måneder hvert år. Hver gang det gikk i stå med skrivingen, eller han skulle i gang med en ny bok, måtte han vekk. Han leide seg inn på pensjonater i Harstad og på Sortland, bodde flere ganger på Grand hotell i Bodø, gjemte seg vekk, langt fra folk, på setre og småbruk i Saltdalen, i Bardu, og på Kråkmo ved Sagfjorden. Marie var hjemme og passet gården mens ektemannen flakket omkring. Hamsun lengtet hjem, men han holdt ikke ut å være hjemme.

En strøm av brev går fra Knut til Marie. De er fulle av påbud, av formaninger og påminnelser om hvordan ting skal ordnes og holdes i stand, ned til minste detalj. Det er nøytrale brev, men også brev fulle av varme og kjærlige ord. Han tenker på Marie og på barna, og i brevene spør han alltid etter hvordan de har det.

Hjemme på Skogheim sitter Marie og venter og gremmer seg over mannen som aldri er der.

«Jeg er likeglad, revnende likeglad om du ikke skriver en linje mer i ditt liv, bare du blir hjemme!»

Barnefødslene tok på. Tre barn kom til verden på Skogheim, Tore i mars 1912, Arild i mai 1914, Ellinor i oktober 1915. Hamsun elsket dem, tok dem på fanget når de gråt, fortalte skrøner og historier, lekte med dem når de ble større. Han var snill og hensynsfull, men samtidig streng. Når han skulle skrive, krevde han absolutt ro. Barna listet seg musestille omkring, søkte til moren, holdt seg borte ...

Overfor Marie var han likedan – hensynsfull, men hissig og oppfarende hvis hun «maste» på ham. De første kranglene lot ikke vente lenge på seg. De var heftige, det ble brukt sterke ord fra begge sider. Marie krevde at Knut skulle ta hensyn til henne når hun gikk gravid. Det hendte ektemannen tok lett på det. *Dikteren* måtte ikke forstyrres av kvinnfolkmas. Holdt ikke Marie opp, rasket han notatene sammen og drog sin kos.

Svangerskapene og barna gjorde Marie enda mer avhengig av Knut – både praktisk og følelsesmessig. Nå var det hennes tur til å bli sjalu. Hun hadde ofret alt for ham, vennene, teaterkarrieren, alt ... Nå var hun ikke lenger den skjønnhetsåpenbaringen hun var da hun møtte Hamsun. Nå var hun bare en simpel bondekone. Slik følte hun det i alle fall selv.

Og Hamsun reiste og reiste, og Marie så kvinner overalt, kvinner som var yngre og vakrere enn henne, kvinner som la sine garn ut etter Knut. Knut bedyret at det var bare henne han elsket. Det kunne så være, men hun *visste* han var svak for smiger.

Når Hamsun var bortreist, ville han helst ikke ha besøk av familien. Men det hendte han gjorde unntak fra regelen. En gang kom Marie til pensjonatet på Sortland. Her så hun beundrende damer høyt og lavt. Gravid var hun også, og det gjorde ikke saken bedre.

«Knut min, hjelp meg, jeg er så skinnsyk. Du sa før at min skinnsyke var godartet, kan jeg huske. Det er den ikke lenger. Jeg er svartsjuk på svensk! Det herjet og raste i meg på Sortland, og det har ikke villet legge seg. Det var noen avskyelige kvinnemennesker, jeg så nok at de gikk og gjorde seg deilige for deg. Og jeg merket ikke at du skar tenner av den grunn.»

Knut svarer sporenstreks – med overbærende ironi.

«Skinnsyk på meg på Sortland! Jaså. Ja, her er fire angivelige hunkjønn, – og jeg har akkurat fire stoler på rommet mitt! Jeg ber deg forstå at bare en er deilig for meg i livet.»

*

Slik går dagene, slik går årene. I Hamsuns sinn kjemper bonden og landstrykeren om overtaket. Det gjør de også i bøkene hans. Denne konflikten står helt sentralt i hans senere forfatterskap. Flyttingen nordover faller sammen med en ny fase i Hamsuns diktning. Fra nå av skriver han i hovedsak omfangsrike romaner med handlingen lagt til Nord-Norge i siste del av 1800-tallet – en tid og et samfunn som Hamsun kjente godt fra sin egen barndom og ungdom. På denne tiden skjedde det store forandringer i hele samfunnet, og også i Nord-Norge. Fram til da hadde folk stort sett levd og arbeidet på samme måten i generasjon etter generasjon, gjennom hundrevis av år – rodd fiske og dyrket jorda med gammeldagse redskaper. De fleste ble boende på det stedet de var født. Sønner fulgte i fedres fotspor, døtre i mødres. Med ett dukker en hel rekke ting opp som endrer dette mønsteret.

Dampbåter legger til kai i de nordnorske havnene og fortrenger snart de gamle seilskutene. Det blir bygd telegrafstasjoner. Industri, bankvesen og ny handelsvirksomhet setter penger i omløp. Det kommer flere turister til landsdelen. Nye tanker og ideer slår rot. Folk blir mer rastløse og misfornøyde enn før. I alle fall ser Hamsun det slik. De unge reiser vekk, de drar sørpå, til Bergen, til Kristiania, noen drar til Amerika. De kommer hjem som bymennesker og har bare forakt til overs for de gamle skikkene og levemåtene. En ny tid er underveis, grunnsteinene til et moderne samfunn er lagt.

Hamsun så ikke med blide øyne på denne utviklingen. Han holdt fast på de gamle dydene. Folk hadde kanskje ikke så mye å rutte med i gamle dager, men hadde de det dårligere av den grunn? Nei, påstod Hamsun, menneskene var mer tilfredse med livet den gang enn de er nå.

«Framskritt, det er ikke å kjøre hurtigere på veiene. Det er legemets nødvendige hvile og sjelens nødvendige ro.»

Det er slike tanker som ligger til grunn for Hamsuns senere romaner. Her svinger han pisken over «den nye tid» og gjør narr av alle som lar seg påvirke av den. Romanene har et klart budskap. Både samfunnet og det enkelte mennesket er best tjent med at vi skrur klokka tilbake og retter blikket mot de gode, gamle dagene. Selv forsøkte Hamsun å leve i pakt med dette budskapet – uten helt å lykkes. Han var selv påvirket av den nye tid. Han var opptatt og fascinert av det som skjedde. Og i hver eneste roman opptrer en eller flere personer som viser at det ikke er så lett å vende tilbake. De er urolige og rastløse. Noen av dem er bitt av tidens ånd og forsvarer alt som er nytt og moderne; andre vet kanskje hva som er «riktig», men de gjør det likevel ikke.

*

«Vi har noen røtter i vår jord, dem kapper vi ikke, det er de som gjør at vi *står*.»

Slik skriver Hamsun i en artikkel i 1910 der han går til angrep på turisme, utvandring og biltrafikk.

«Vi er i ferd med å inngå et hotellekteskap med utlendinger, vi er blitt et folk av oppvartere, vi står med luen av og hånden utstrakt etter utlendingenes kobberskillinger.»

Bonden har fått smaken på å gå med hendene i lommen. Biler suser langs veiene, som oftest kjørt av tarvelige og udannede personer. Dette usigelig grove automobilliv hisser bonden opp. Han bygger turisthoteller på jordene isteden for å dyrke dem.

Korn kan han kjøpe i Egypt!

Dette må det settes en stopper for!

«Vi skal få hendene opp av lommene igjen og begynne å arbeide. Så blir vi ikke et helt folk av hotellverter og oppvartere. Vi skal tappe våre myrer, plante skog ... Vi skal dyrke opp Norges land.»

I Hamsuns romaner kommer et slikt budskap først for alvor til uttrykk i *Den siste glæde* (1912), den boka han gikk i gang med da han kom til Nordland. Det er en av hans sureste og dystreste romaner. Her øser han sin forakt over alt det nye han misliker: «frigjorte» kvinner, engelske turister, bønder som ikke lenger dyrker jorda, dumme lesere ...

«Jeg har skrevet dette under en pest for en pests skyld. Jeg kan ikke stanse pesten, nei den er uovervinnelig nå, den huserer under nasjonal beskyttelse ... Men engang stanser den nok. Imidlertid gjør jeg det jeg kan imot den, du gjør det motsatte ... Men hvorfor har jeg skrevet nettopp til deg? ... Du vil jo ikke bli overbevist om den redelige sannhet i mine slutninger; men jeg skal tvinge endog deg til å forstå at jeg er sannheten nær. Da faregner jeg idioten i deg.»

Hamsun opptrer også som streng forkynner i sitt neste verk, dobbeltroma-nen *Børn av tiden* (1913) og *Segelfoss by* (1915). På nytt skriver han «for en pests skyld», men samtidig har han et muntert glimt i øyet. Han kan nok være slem mot menneskene, men han er ingen alvorsmann. Humoren er en av hans sterkeste sider. Han får oss til å le av menneskenes dårskap slik at vi glemmer «budskapet». Det drukner i latteren.

Segelfoss er et lite oppdiktet samfunn i Nord-Norge. I begynnelsen er alt såre vel. En rik godseier er den store mann på stedet. Alle har han i sin hule hånd, og det er stor forskjell på fattig og rik. Det ser ut til at forfatteren mener at dette er helt i sin orden. Det skal og bør være forskjell på Kong Salomo og Jørgen Hattemaker.

Etter hvert går det nedoverbakke med den gamle godseieren. Men nettopp da vender en mann ved navn Tobias Holmengraa tilbake, etter mange års opphold i utlandet. Som et pust fra eventyret kommer han, bygger fabrikk, setter folk i arbeid, skaper liv og røre, handel og vandel. Det strømmer arbeidere til Segelfoss. Folk får penger mellom hendene. Stedet utvikler seg. Den nye butikkeieren fyller hyllene med varer, unyttige varer, hermetikk …

«Stabburet og skjåen med kjøtt og flesk og fisk? Man ville ta sin død av latter over den som enda holdt saltmat. Det var i all rimelighets navn mat i dåser å få, dåsemat. Den var ferdig og kokt, den var også tygget, den var rede til å legges i en klut og gjøre menneskeheten en tåte av … Hva skulle munnen med tenner mer? Pyntetenner hang jo på snor i tannmakerens butikk og til selve dåsematen trengtes bare en skje. Dåsematen var ennvidere fersk, den virket lemfeldig på folk som alt hadde fått mavesår av den. Var det ikke oppsving over hele linjen?»

I romanen gjør Hamsun blodig narr av den nye arbeiderklassen.

«De moderne arbeidsmennesker, de med sykler og vindjakker og dinglende klokkekjeder, de stålsatte … Kapitalister, dagen nærmer seg!»

Men aller verst går det kanskje utover embetsmenn og andre «kontorfolk» – presten, sakføreren, doktoren, avisredaktøren, hotellverten.

«De har så syke hender, de kunne bare sitte og ingenting gjøre med dem … de satt og skrev.»

De satt og skrev!

Som Hamsun selv satt de og skrev livet sitt bort.

*

I begynnelsen av juni 1916 drar Hamsun til den avsidesliggende gården Kråkmo i Sagfjorden. En hel dag ror han for å komme dit, over sju innsjøer. Han brygger på en ny roman. Handlingen står helt klart for ham, og han synes Kråkmo burde være det perfekte stedet til å komme i gang. Men han kommer ingen vei. Han sover og spiser og går korte turer. Her blir han ikke forstyrret av barnegråt. Likevel får han ikke skrevet en eneste linje. Hjemme holder de på å reise et lite skur til ham – en «kiosk» som han ironisk kaller det – der han skal kunne sitte å arbeide i fred.

Han blir ikke lenge på Kråkmo. Hjemme på Hamarøy installerer han seg i «kiosken». Men heller ikke her får han riktig sving på romanen.

Ved juletider har han bare fått til rundt 40 sider.

Nå er gode råd dyre. Hamsun trives ikke lenger i Nord-Norge. Hamarøy ligger for langt vekk fra hovedstaden. Postgangen er treg. Det tar altfor lang tid før brevene fra forlaget kommer fram. Han har antydet overfor Marie at de burde begynne å tenke på å flytte igjen. Hun protesterer. Tenk på barna, sier hun, og hva med henne …?

Skal ikke også hun ha et ord med i laget? Hun er blitt glad i stedet her, hun er i ferd med å slå rot … Har Knut ingen forståelse for det?

Likevel averterer Hamsun gården til salgs vinteren 1916, og i april skriver han til Erik Frydenlund i Valdres og ber ham om å undersøke om det er noen gårder til salgs der. Nå er det bare et spørsmål om tid. Hamsun *har* bestemt seg. At han har gått i stå med den nye romanen, er det endelige beviset på at Nordland ikke lenger er noe blivende sted. Om sommeren drar han sørover, reiser omkring på kryss og tvers, kjøper til slutt en villa i Larvik. I mellom-tiden blir det gjort klart for salg av Skogheim. Kort tid etter kjøper et aksje-selskap gården for godt og vel det tredobbelte av hva Hamsun gav.

I april neste år står flyttelasset klart. Marie er gravid med sitt fjerde barn. Cecilia blir født i Larvik, straks etter at de er flyttet inn i den nye villaen. Det skal stelles i stand og møbleres. Hamsun får liten ro til å skrive. Det går sørge-lig tregt. Men i slutten av juni løsner det plutselig, Hamsun skriver i ett strekk, dag og natt, kroppen føles som gelé. Midtveis i oktober setter han punktum, i seneste laget med tanke på utgivelse samme høst. Likevel har forlaget romanen klar til 1. desember.

*

I *Markens grøde* hyller Hamsun bonden og bondens liv. Handlingen er lagt til et øde sted i Nordland. Hit kommer Isak – en mann med en fortid vi aldri får vite noe om – slår seg ned og tar til å dyrke jorda. Han er ikke mye for øyet, og lese kan han knapt, men han har to sterke never, og han vet hva han er kom-met hit for. Han skal dyrke jorda.

En dag kommer Inger til gammen. Hun er heller ingen skjønnhet. Et hareskår skjemmer ansiktet. Men hun blir over natta, og hun slår seg til. Sammen bygger de opp et stort gårdsbruk som får navnet Sellanrå. Det skjer ikke uten problemer. Inger kommer på straff etter å ha drept sitt eget barn fordi det, som hun selv, er født med hareskår. Da hun kommer tilbake til marken, er hun blitt en annen. Fengselet har gjort henne til bydame! Men det jenker seg etter hvert … Snart er hun den gode gamle.

Det blir funnet malm på Isaks eiendom. Det kommer gruvearbeidere vandrende opp i marken. Maskiner og dynamittkasser blir fraktet opp. Det bores og skytes. Roen er brutt. Men det varer ikke lenge før gruvedriften blir innstilt. Den lønte seg ikke.

Men Sellanrå lønner seg …

Hamsun hadde en hensikt med *Markens grøde*. Han ville gjøre jorda tillokkende for menneskene igjen. Han ville lære det norske folk å dyrke sin egen mat. Han ville fortelle dem at bonden var ryggraden i ethvert lands økonomi. Romanen ligner en skapelsesberetning. Aldri har Hamsun brukt så mange bibelske uttrykk som her. Isak blir beskrevet som en mytisk skikkelse – den evige bonde, gjenoppstått fra fortiden og dagens mann.

Det *er* litt merkelig å tenke på at Hamsun følte seg tvunget til å selge sin egen gård for å kunne klare å skrive ferdig denne lovsangen til bonden. Men i grunnen forteller det mer enn noe annet om spenningene i hans liv.

I romanen opptrer en biperson ved navn Geissler. Han er stedets lensmann og hjelper Isak på alle vis, men selv finner han verken rast eller ro. Som Hamsun vet han det rette, men gjør det ikke. Han er stadig på reisefot, og det er han som setter i gang gruvedriften. I Geissler-skikkelsen har Hamsun lagt mye av seg selv, og for at det ikke skal være tvil om at han er en slektning av forfatteren selv, har Hamsun sørget for å la ham være fra samme sted som ham selv. Av alle de hundrevis av romanskikkelser Hamsun diktet opp, er det bare Geissler som er fra Lom.

Markens grøde er en av Hamsuns aller største romansuksesser. Den kom ut under første verdenskrig, og den ble lest som et fredens evangelium. Ute i Europa la bomber og granater veldige jordområder øde, og i skyttergravene

Bildet til høyre: Herren til Nørholm. Som bonde hadde ikke Hamsun mye til felles med Isak Sellanrå i Markens grøde.

døde unge soldater i hundretusenvis. På Sellanrå legges jorda under plogen. Her behøves ingen våpen, her lever menneskene i fred med hverandre.

«Ta dere Sellanråfolk: dere ser hver dag på noen blå fjell, det er ikke oppfunne tingester, det er gamle fjell, de står dypt nedsunkne i fortid; men dere har dem til kamerater. Dere går der sammen med himlen og jorden og er ett med dem, er ett med dette vide og rotfestede. Dere behøver ikke sverd i hånd, dere går livet barhendt og barhodet midt i en stor vennlighet. Se, der ligger naturen, den er din og dines! Mennesket og naturen bombarderer ikke hverandre, de gir hverandre rett, de konkurrerer ikke, kappløper ikke etter noe, de følges ad.»

*

Hamsun visste at villaen i Larvik bare var en mellomstasjon. Etter at *Markens grøde* var ferdig, gikk han iherdig inn for å finne en ny gård til seg og sine. Sommeren 1918 fant han det han lette etter, og i november 1918 flyttet Knut og Marie og fire unger inn på herregården Nørholm ved Lillesand.

Landstrykeren satte bo igjen. Nørholm ble Hamsuns hjem resten av livet. Men nissen flyttet med på lasset. Med korte mellomrom reiste Hamsun vekk, og i lange perioder oppholdt han seg andre steder.

Det kunne ikke være annerledes.

VI

Berømmelse (1918–1930)

Det er høylys dag. Gardinene er trukket fra. En klokke slår tolv slag. Nede fra gatene i Stockholm stiger larmen fra biler og trikker opp.

Hamsun slår øynene opp og stirrer på Marie som har rusket ham våken. Bak henne kan han skimte det utstuderte tapetmønsteret og kandelabrene. Han karrer seg opp, det svimler for ham, han ser bestyrtet nedover seg selv. Herregud, han har ligget til sengs i fulle klær! Men slipset er vekk. Vagt kan han huske at Albert Engström hadde støttet ham opp trappen – Hamsun var «litt trött, förstås», hadde han forklart Marie – og så hadde de sammen forsøkt å få av ham klærne. Men de var ikke kommet lenger enn til slipset før han veltet om på senga og falt i snorksøvn.

«Kjære, har jeg ligget hele natten uten slips!» stønner han spøkefullt, og Marie rister på hodet og ler.

Det *ble* en temmelig våt aften etter at Nobelpris-seremonien var over – slik han, og ikke minst Marie, hadde fryktet. *Hun* hadde vært fornuftig nok til å trekke seg tilbake i rimelig tid. *Han* hadde ranglet til langt på natt. Straks talene var over, hadde flaskene kommet på bordet. Han hadde gitt lommeboka med reisepengene og nobelprissjekken til kelneren og bedt ham om å sette alt som ble drukket og spist på hans regning. Det hadde vært en avslutning *med stil* – nesten som i gamle dager.

Han hadde vært nervøs, det måtte han innrømme, han likte ikke alt oppstusset omkring sin person, han trivdes ikke lenger i store forsamlinger, han *hatet* offisielle seremonier. Men da de satte seg til bords, hadde han tødd opp. Han hadde den svenske forfatteren Selma Lagerlöf som borddame, bøkene hennes hadde han ikke særlig sans for, men hun var en slagferdig dame med sylskarpe replikker, de hadde moret seg kongelig, og da han reiste seg for å holde takketalen, var nervøsiteten som strøket av ham.

Han hadde skrevet talen på reisen, de par dagene de var i Kristiania. Det var *de unge* han ville henvende seg til, det var dem han ville takke, ikke de gamle gubbene i Svenska Akademiet. Han hadde reist seg opp i Musikkakademiets store sal. Kong Gustav den femte hadde vært der, flere andre medlemmer av kongefamilien, berømtheter fra inn- og utland; det lynte av ordensbånd og glitret i silkekjoler og gullarmbånd; han hadde reist seg og sagt at han gjerne skulle gått omkring til hver især med vers og blomster og gaver og *vært som ung igjen og ridd på bølgen ...*

«Men jeg våger det ikke mere ... Jeg er blitt tykk av ære og rikdom i Stockholm i dag – javel, men jeg mangler det viktigste, det eneste, jeg mangler ungdommen ... Uansett hva jeg burde nå – det vet jeg ikke – uansett hva som passer best – det vet jeg ikke – jeg tømmer mitt glass for Sveriges ungdom, for all ungdom, for alt ungt i livet!»

Talen hadde gjort inntrykk, det hadde han lagt merke til. Bordkavaleren til Marie, akademisekretæren selv, hadde tørket en tåre fra øyekroken. Sentimentalt, ja vel ...? Men han var nå engang sentimental, selv ble han også lett rørt. Det var som det skulle være. Han hadde ridd på bølgen, han hadde stått løpet ut.

Helt siden august hadde det gått rykter om at han ville få Nobelprisen for 1920. Den 12. november hadde avisene brakt meldingen om at den endelige beslutningen var fattet. Neste dag hadde han fått telegram fra sin gamle venn Albert Engström, og deretter hadde det strømmet på med brev og telegrammer fra fjern og nær. Han hadde sittet dagen lang og vagget med hodet og vært målløs som en idiot. Han hadde satt seg på bakbeina, han ville ikke reise, de hadde måttet trygle og be.

Han unnskyldte seg med at han ikke hadde klær for anledningen. Det måtte vel la seg ordne, mente de. En snippkjole kunne han vel få kjøpt eller lånt, enten i Kristiania eller i Stockholm. Men Marie, den jåla, hadde selvsagt på røde rappen strøket til Kristiania for å kjøpe seg ny kjole ...

Du *må* komme, hadde Karlfeldt skrevet, du er festens høydepunkt, alle kommer for å hylle deg. Du skal bare sitte en stund på en tribune sammen med tre–fire andre lidelsesfeller og høre på noen kjedelige, men korte harangar, hvorav den ene er rettet til deg …

Han hadde skrevet tilbake at han skalv av skrekk ved tanken på å reise seg opp i en så ærverdig forsamling. Men til slutt *hadde* han latt seg overtale. Og ny snippkjole ble det også en råd med. Han hadde fått et lite sjokk da Marie troppet opp i sin nye kjole, med en utringning langt dypere enn det sømmet seg, i alle fall var det fare for at hun kom til å fryse seg fordervet. Med saks og sort tyll sørget han for å lappe på antrekket så godt det lot seg gjøre. Så bar det av sted til Stockholm der Engström hadde bestilt værelse på Grand Hotel Royal.

Nå var det hele over, og takk og pris for det.

*

Da Hamsun ble tildelt Nobelprisen for *Markens grøde*, stod han på høyden av sin berømmelse. Av andre norske forfattere var det bare Henrik Ibsen som kunne måle seg med Hamsun i utlandet – og han hadde aldri fått Nobelprisen. Romanene hans var oversatt til en hel rekke språk, og det var skrevet flere bøker om hans forfatterskap, men selv var han trett av det hele, han hadde høstet nok ære, det var ikke æren som telte.

Hamsun følte seg gammel. Han var far til fem barn, det burde vel telle. Det gjorde det også, men kreftene og overskuddet var ikke hva de hadde vært. Han ble lett irritert, tålte lite og ingenting før han sprakk. Det var også temmelig kjølig mellom ham og Marie …

En nobelpris kunne ikke rette på noe av dette.

«Æren kommer til den gamle. Tykk og dum kommer den til den gamle, sittende mann. Til alderdommen, det hesligste, det overflødigste, det forferdeligste av alt, verre enn døden …»

*

På Nørholm gikk Hamsun på nytt inn i rollen som gårdbruker. Den forrige eieren hadde latt gården forfalle, og Hamsun begynte straks å legge planer om reparasjoner, utbygging og nydyrking. Nobelprisen kom godt med. Nesten hele summen gikk til nybygg og oppussing.

Nørholm var i ferd med å forfalle da Hamsun overtok den, og han brukte mange penger på å få satt den i stand.

Eiendommen omfattet i alt 3200 mål – med skog og utmark og to husmannsplasser. Hamsun hyrte folk til å bygge hus og anlegge veier. Ofte var 8–10 mann i fullt arbeid på gården samtidig. Han kjøpte flere kyr og reiste nytt fjøs. De bygde om den gamle hovedbygningen, plantet trær og busker i hagen, og gjerdet hele eiendommen inn for å holde turister og andre nysgjerrige vekk. Etter en tid sendte Hamsun bud etter en slektning fra Nordland, som flyttet inn i bestyrerboligen sammen med sin kone. Men han ville selv ha oppsynet med gården, og han gav klar beskjed om hvordan han ville ha det – ned til minste detalj.

Så godt som hver dag gikk Hamsun lange turer alene på eiendommen. Mer og mer søkte han ensomheten og stillheten. Han *var* en ensom mann – selv om han var gift og hadde fem barn – men på sett og vis ønsket han også at det skulle være slik. Han ville være i fred.

Bladfolk og journalister henvendte seg stadig vekk til ham; noen ganger sa han ja til å gi et intervju og la seg fotografere, sammen med familien eller alene, som oftest sa han nei. Men ble journalistene avvist, var de ikke sene om å gå til naboer for å høre om *de* hadde noe å fortelle om den berømte dikteren. Det irriterte Hamsun grenseløst. Da han var ung, ble han oppfattet som en høyrøstet bløffmaker. Nå ble han sett på som en sær einstøing. Og Hamsun gjorde det han kunne for å bygge opp under dette inntrykket.

Han tok opp den gamle vanen med å leie seg inn på hoteller og pensjonater. Stort sett holdt han seg til småbyene i nærheten – Lillesand, Grimstad, Arendal, Kristiansand.

Og årene gikk …

Familien samlet. Fra v.: Tore, Cecilia, Marie, Ellinor, Arild og Knut. Ingen ser ut til å synes at det er bryet verd å spandere et smil på fotografen.

På overflaten kunne livet se lyst og problemfritt ut. Hamsun hadde ingen økonomiske bekymringer lenger, og ungene vokste og trivdes. Men likevel var det noe som lå under og gjorde ham nervøs og oppfarende. Han ble stadig tausere, holdt seg mest for seg selv, var plaget av depresjoner og søvnløshet, det ble verre for hvert år. Mer og mer humørsyk ble han også. Han kunne fare opp og slå i bordet for den minste filleting.

Av og til hendte det at venner og bekjente la veien om Nørholm og slo seg til ro noen dager. Da tødde Hamsun opp og fant tilbake til sitt gamle jeg. Når han satte seg ved kortbordet sammen med kunstnerne Henrik Lund og Olaf Gulbransson eller med forfatterne Hans Aanrud og Vilhelm Krag, da var han i sitt ess.

De spilte poker, støyet og lo, pengesedlene knitret, det skvalpet i whisky-glassene. Tore og Arild var storøyde tilskuere før de ble skysset vekk.

Den gamle Hamsun var en innesluttet mann, likevel savnet han selskap og likte å ha venner omkring seg. Det brakte minnene om fordums glade dager tilbake. Han var en familiekjær person, men familien var ikke nok. Og, Marie, det var *henne* han elsket fortsatt, men det var ikke som før … Hun var blitt en masekråke, de kranglet, det skjedde stadig oftere.

*

De første årene på Nørholm skrev Hamsun to av sine mest svartsynte roma-ner. De var gjennomsyret av en bitende humor, men likevel følte leserne seg snytt. *Konerne ved vandposten* (1920) utkom et par uker før Marie og han drog til Stockholm, og den er nobelprisromanens rake motsetning. Her finnes knapt én eneste riktig positiv figur som det går godt for, og ikke en linje om jordbrukets velsignelser. Det er som om Hamsun geiper til seg selv. Her bru-ker han maurtuen som et bilde på livet i den lilleputtbyen handlingen er lagt til.

Bildet til høyre: Hamsun ved pokerbordet. Han var en lidenskapelig kortspiller hele sitt liv, spilte for å vinne, men tok det ikke så tungt om han tapte.

«Å den lille maurtue! Alle mennesker er opptatt med sitt, de krysser hverandres veier, de puffer hverandre til side, stundom går de over hverandre. Det kan ikke være annerledes, stundom går de over hverandre.»

Nei, det kan ikke være annerledes.

Forfatteren ser ut til å ha oppgitt ethvert håp om et bedre samfunn og en lykkeligere tilværelse. Menneskene er små kryp, de tenker ikke på annet enn å komme seg opp og fram. De er sladresyke og misunnelige, de karrer til seg alt de kan få, de kravler og kravler – et liv uten mål eller høyere mening.

Finnes det en høyere styrelse? Kanskje, kanskje ikke … Hvis Gud er til, må han være en ond skjebnemakt.

Livet er et spill …

… men det spilles ikke etter menneskenes noter.

Romanens hovedperson heter Oliver. Som ung var han sjømann. Ved et uhell falt han ned fra riggen og fikk en alvorlig skade i underlivet. Likevel giftet han seg med den jenta han var forlovet med, og til tross for ektemannens ødelagte underliv føder hun barn etter barn …

Oliver er far, men likevel ikke far. Han lever sitt liv på en løgn, slik alle andre mennesker i byen gjør. Det er ikke bare han som er skadd, alle lever med en skade, ja, den skaden Oliver trekkes med, er kanskje ikke verre enn de andres. I alle fall bruker Hamsun *kastraten* Oliver som et bilde på det liv menneskene lever – et tomt liv, et liv preget av mangel og utilfredshet.

«Der hinker han hjemover. Han er noe maroder, litt ufullkommen av seg; men hva er fullkomment! Livet i byen realiserer sitt bilde med ham, det kravler, men det er like travelt for det.»

Det samme bistre synet finner vi igjen i *Siste kapitel*, som kom ut høsten 1923. Her svinger Hamsun svepen over alt og alle. Handlingen er lagt til et sanatorium. På dette sanatoriet holder en rekke forkrøplede personer til, personer som forfatteren stort sett bare har forakt til overs for – «frigjorte» kvinner, stuelærde akademikere, arbeidssky kontorister … Det er syke mennesker, de er fordervet, sivilisasjonen har ødelagt dem. Til slutt brenner sanatoriet ned. En klarere dom kunne ikke Hamsun felle over den moderne sivilisasjonen.

Alle omkommer – unntatt én, en mann kalt Selvmorderen fordi han hele tiden går omkring og forteller at han vil ta sitt eget liv. Kona hans er blant de som brenner inne, Selvmorderen overlever – selvsagt. Nå har han enda en grunn til å begå selvmord, men heller ikke nå lykkes det. Greina han henger seg i, knekker … Var det en tilfeldighet at han valgte nettopp den som var råtten?

I romanen opptrer det også en bonde – en sunn kontrast til alle de «syke» bymenneskene. Bonden Daniel har da også forfatterens sympati, men han er bare en bleik kopi av Isak. Til slutt begår han et mord …

Det kan virke som om Hamsun har begynt å trekke sin egen bondedyrking i tvil. Bonden er også blitt landstryker.

«Ja, vi er alle landstrykere på jorden. Vi vandrer veier og ulende, stundom kravler vi, stundom går vi opprett og trår hverandre ned.»

*

Siste kapittel?

Det lyder som en dom, men også som en avslutning.

Hadde Hamsun sagt sitt siste ord?

Det var mange som spekulerte på det. Selv gikk han inn i en dyp krise. Han var tom for ideer. Han hadde ikke mer på hjertet. Han klarte ikke å få et eneste ord ned på papiret. Dette kunne ikke vare. Hamsun kunne ikke leve uten å skrive. Diktningen var hans skjebne i livet. Uten den var livet meningsløst.

*

Latteren runger i salen.

Hamsun ler med. Han morer seg, det han ser er det reneste tøv – en mann som river ned alt han kommer borti, selv husveggene detter ned over ham – men Hamsun kan likevel ikke dy seg, han ler så han rister.

Å gå på kino er selvsagt spill av tid. Filmen var et produkt av det moderne samfunn. Den trakk menneskene bort fra bygdene, inn til byene. Men nå sitter han selv og morer seg.

Det er vinteren 1926, Hamsun er alene i Oslo, og han har bestemt seg for å bli her fram til sommeren.

Nå var det ikke helt sant at han var en så innbitt motstander av alt som var moderne. Han hadde skrevet mot den tekniske utviklingen, han hatet *maskin-kulturen*, men hvis de nye oppfinnelsene kunne være til nytte, var det en annen sak. Faktisk hadde han vært en av de første på Sørlandet som skaffet seg traktor!

Og bilene, mer enn en gang hadde han sagt at framskrittet ikke kunne måles etter hvor hurtig man kjørte på veiene, men familien hadde likevel skaffet seg bil, en åtteseters Cadillac med tykke, gule silkegardiner, og det var ikke *bare* etter påtrykk fra Marie. Selv ville han gjerne ha denne bilen, den var både praktisk og artig. Han hadde forsøkt å ta sertifikat, men det gikk ikke. Her skulle man ha én ting i én hånd og en annen ting i en annen, en fot på bremsen og en på clutchen, man måtte være apekatt for å klare det. Så hadde det blitt til at Marie tok seg av kjøringen. Hun var en utmerket sjåfør, og han måtte tilstå at han stortrivdes når han satt ved siden av henne i forsetet, ja, han

Bilmotstander med stav og sjåfør (Marie). Smilet tyder på at han gleder seg til turen. Menneskene ble ikke lykkeligere av at vi fikk flere biler som kjørte hurtigere på veiene, mente Hamsun. Selv bad han gjerne Marie om å sette opp dampen når han syntes det gikk for sakte.

måtte innrømme at han til og med oppmuntret henne til å sette opp farten når det gikk for sakte – fart er ikke framskritt, nå ja, men likevel …

Men kinoene altså, det var én av de ting som lokket unge mennesker bort fra bygdene og jorda – og inn til byene. Men med hånden på hjertet, det kunne vel ikke skade med litt uskyldig moro. Faktisk hadde han en gang tatt filmen i forsvar. Det var like etter at han flyttet til Hamarøy. Han var lei av alt maset om hvor skadelig det var å gå på kino, og hvor farlig det var for ung-dommen. Dessuten hadde han hørt at flere av hans gamle venner i Danmark faktisk hadde planer om å skrive filmmanuskripter. Ja, i Danmark hadde de et annet syn på sakene. Men da det begynte å gå rykter om at han hadde sagt ja til selv å skrive et filmmanus, gikk det for langt. Han kunne like gjerne ha gitt ut en regnebok, fortalte han journalisten som kontaktet ham for å få vite om ryktene hadde noe for seg.

Senere hadde han opplevd at filmfolk kastet seg over hans egne romaner. Selvsagt hadde han gitt tillatelse til det – litt motstrebende kanskje, men like-vel … Og det hadde ikke gått så galt heller. Han var såre fornøyd med filmati-seringen av *Markens grøde*. Særlig likte han Ragna Wettergreen, som spilte Oline, Inger og Isaks onde ånd, hun spilte rollen så listig og djevelsk at det løp kaldt nedover ryggen på tilskuerne.

Nei, nå faller sannelig enda en vegg nedover den arme mannen på lerretet! Hamsun ler, ja, han er i lystig humør, lystigere enn på lenge. Han sitter i Carl Johan Teatrets biograf. Han er alene mann i byen. Noe er i ferd med å løsne. Kanskje kan han komme i gang med en roman igjen. Denne Strømme er så-menn ingen dumskalle. Metodene hans er jo litt underlige, for å si det mildt, men han skal få sin sjanse …

At han skulle la seg overtale til å gå i *psykoanalyse!* – han, av alle mennesker, det hadde vel ingen kunnet forestille seg – aller minst ham selv. Men Strømme hadde sendt ham denne boka om nervøse lidelser. Han hadde bladd i den, og den var faktisk ikke så dum. Så hadde han skrevet tilbake og takket. Etter en kort brevveksling hadde Strømme foreslått at han skulle gå i analyse hos ham. Først hadde han rygget tilbake – psykoanalyse, det var jo noe nymotens herk. Men alt hadde stått i stampe, og dessuten var han nysgjerrig. Strømme hadde insistert på at han måtte flytte til Oslo hvis det skulle være noen mening i det.

Og straks jula var over, hadde han dratt av sted og leid seg inn på Victoria hotell. 4. januar 1926 hadde han troppet opp til sin første behandlingstime hos Strømme.

Det var en rar behandling. Den bestod i at han av alle livsens krefter skulle forsøke å huske hva han hadde drømt sist natt, og deretter analyserte doktoren drømmen. Allerede første dag hadde Strømme erklært seg tilfreds med innsatsen, og dette hadde han gjentatt flere ganger. Det skulle nok bli resultater av det …

*

Johannes Irgens Strømme var den første privatpraktiserende psykoanalytikere i Norge. Han hadde arbeidet som assistent for en psykoanalytiker i Zürich, og straks han kom hjem, opprettet han sin egen praksis. Mange pasienter fikk han ikke. Folk så med stor skepsis på de psykoanalytiske teoriene og behandlingsmetodene. Hamsun var faktisk en av de aller første i Norge som gjennomgikk – og fullførte! – en slik analyse.

I seks måneder bodde han i Oslo, og han møtte trofast opp til hver time. Om han ble «helbredet», visste han ikke riktig. Men analysen hjalp på humøret.

Han skrev jevnlig hjem til Marie og rapporterte om analysens gang. Han fortalte også at han hadde vært i teatret – for første gang på femten år – og at han moret seg med å gå på kino.

Marie liker det ikke. Hun synes det er bortkastet tid og helt urimelig at ektemannen skal være borte så lang tid. Den gamle sjalusien blusser opp. Det sårer henne dypt at Hamsun går i teateret. Han kan jo ikke fordra skuespill, har han sagt. Sårene fra starten av forholdet blir revet opp.

Var det ikke *han* som den gang for snart tyve år siden tvang henne bort fra scenen? Nå sitter han i salen og fryder seg, mens hun går i fjøset og steller kyrne!

Men hun har så smått begynt å ta igjen, forsøkt å leve sitt eget liv, utnytte de litterære talentene hun mener at også *hun* har. Tidlig på 1920-tallet begynte hun så smått å skrive selv. Det var ikke slik at hun ville ta opp konkurransen med Knut, men i 1922 fikk hun utgitt en liten samling dikt. Tittelen var velvalgt, *Smådikte*, og Knut hadde sagt at han likte dem. Så begynte hun på en barnebok. *Bygdebarn. Hjemme og på sæteren* kom i 1924, og nå er hun nettopp ferdig med fortsettelsen, *Bygdebarn om vinteren*. Hun er ikke så lite stolt av disse bøkene, men hva hjelper det … Knut viser ikke særlig interesse.

*

Alle psykiske og fysiske lidelser til tross var den snart 70 år gamle Hamsun fortsatt en vakker mann. Damene snudde seg etter ham på gata – og ikke bare fordi han var en berømt forfatter. Marie gremmet seg og forestilte seg det verste. I brevene klaget hun og var «sur», men Hamsun hørte ikke på det øret og skrev opprømt tilbake at behandlingen begynte å virke.

«Jeg er lei og kjei av det, men Dr. mener at en kilde skal springe i meg, og at jeg skal skrive som en ungdom igjen. Jeg synes også jeg merker litt forandring, det er nemlig ikke tvil om at jeg går litt rankere ved håpet om denne kilde som skal springe …»

Brevene gir en klar pekepinn om hva det dreide seg om. Hamsun hadde håpet at Strømme skulle helbrede ham for hans skrivehemninger. Men det gikk trått, og etter fem måneder var kilden ennå ikke sprunget. Men han syntes at han var blitt fastere innvendig, skrev han til Marie, og skyndte seg å legge til at når han nå hadde «analysert» i dyre dommer over fem måneder uten å merke noe til kilden, så fikk den i Guds navn være i fred. Om fjorten dager, kanskje før, ville han være hjemme.

Marie var ikke bare sur over det lange Kristiania-oppholdet, hun var også dypt skeptisk til «kuren». Selv var Hamsun optimistisk. Kilden var ikke sprunget, men likevel ville han gå videre med analysen når sommeren var over, og på mystisk vis klarte han også å overtale Marie til å gå i analyse hos Strømme. Med alle pigger strittende ut tok Marie med seg barna og flyttet sammen med Knut til Oslo. Her leide de seg en villa på Bygdøy, og en dag i desember 1926 begynte også Marie hos Strømme.

Nå gikk både mann og kone på Nørholm i analyse!

Mellom Strømme og Marie Hamsun skar det seg fra første dag. Hamsun, derimot, var storfornøyd. Sommeren 1926 hadde kilden begynt å springe – mirakel over alle mirakler – og den fortsatte å springe, den sprang hele vinte-

ren gjennom, den løp ikke tørr før neste sommer. Da forelå resultatet – råmanuset til en ny roman, en av de muntreste og overdådigste i hele forfatterskapet. En overskuddsbok.

*

I *Landstrykere* kritiserer Hamsun på nytt «den nye tid». Det er ikke godt for menneskene å bryte opp fra sin fedrene jord, slår han fast. Landstrykeren finner aldri fred, han sleper røttene etter seg samme hvor han drar. Verst er det for den som reiser vekk fra sitt eget land.

Men *Landstrykere* er ikke så skarp i tonen som de tidligere samfunnsromanene. Hovedpersonen August er en av Hamsuns mest fantasifulle skikkelser. Som sjømann har han flakket verden rundt. Han er en skrønemaker og eventyrforteller av Guds nåde. Han har gulltenner i munnen, og han kan spille trekkspill så folk gaper av undring og begeistring.

Hamsun hadde åpenbart tenkt at August skulle tjene som et skremmebilde. Han kaller ham en utsending for den nye tid, for August er ikke bare skrønemaker og landstryker, han vil også innføre alt som er nytt til Polden, det lille nordnorske kystsamfunnet som han kommer fra. Han setter hele bygda på ende for deretter å dra sin kos. Men etter en stund vender han tilbake igjen … sterkere enn noensinne i troen på den nye tid.

Mens Hamsun skrev, glemte han titt og ofte at August skulle tjene til skrekk og advarsel. Han fikk stor sans for sin hovedperson. Han unnskylder ham og tar ham i forsvar, for August er ikke noe ondt menneske. På bunnen er han uskyldig, en mann uten ryggrad kanskje, men også en hjelpsom og arbeidsom kar, en tusenkunstner og en spilloppmaker som aldri er opprådd og alltid er parat til nye eventyr. Kanskje forderver han menneskene i Polden, men de lar seg da også villig forderve. Det er så stille og kjedelig i bygda, alt er ved det gamle, helt til August dukker opp og skaper liv og røre.

August får en reisekamerat fra samme bygd. Edevart er en mer stillfarende type, men likevel lar han seg lokke med på litt av hvert. Også Edevart blir bitt

Bildet til venstre: Herr og fru Hamsun på trappa foran hovedbygningen på Nørholm.

av reisebasillen, men i bunn og grunn er han ingen landstryker. I motsetning til August blir han ødelagt av landstrykerlivet, og livet hans får en tragisk slutt mens han ennå er ung. Han forelsker seg i en gift kone, Lovise Margrete. Det første møtet mellom de to er skildret med en innlevelse og en lidenskap som er på høyde med det beste Hamsun har skrevet om kjærlighet. Hamsun er 67 år, men han har ikke glemt hva ung kjærlighet og stormfull forelskelse er.

Men Lovise Margretes ektemann vender tilbake. Hun kan ikke bestemme seg for hvem hun skal velge, og vakler mellom Edevart og ektemannen. Edevart lider under dette, og nå blir han for alvor bitt av landstrykerbasillen.

Han blir landstryker – også i kjærlighet …

*

I 1929 fylte Knut Hamsun 70 år. Gratulantene stod i kø. Det strømmet på med telegrammer fra hele verden. *Landstrykere* hadde vært en kjempesuksess. Førsteopplaget ble solgt før bokhandlerne rakk å sette boka i utstillingsvinduene. Til fødselsdagen ble det utgitt et festskrift til ære for ham. Det inneholdt korte gratulasjonstelegrammer fra inn- og utland og en rekke artikler med rosende omtaler av Hamsuns verk. Blant gratulantene og bidragsyterne var noen av de fremste forfatterne i verden – amerikaneren Ernest Hemingway, franskmannen André Gide, engelskmannen H.G. Wells, tyskeren Thomas Mann, russeren Maxim Gorkij …

«Det finnes ingen i noe land som kommer opp mot Dem,» skrev Gorkij.

Samme år kom det også ut en biografi om Hamsun, skrevet av Einar Skavlan i Dagbladet. Hamsun hadde svart trofast på alle de spørsmålene Skavlan hadde stilt ham, selv om han ikke så noen hensikt i at det ble skrevet biografier, verken om ham selv, eller om noen annen forfatter for den saks skyld. Helt upåvirket av all rosen og alle godordene var han likevel ikke, men noen offisiell feiring av 70-årsdagen ville han ikke vite av. Han sa nei takk til alle invitasjoner, og for sikkerhets skyld drog han vekk fra Nørholm dagen i forveien. Sammen med Tore og Marie feiret han dagen i all stillhet i Flekkefjord.

*

Året 1930 ble familien Hamsun rammet av sykdom. På etterjulsvinteren gikk Marie i seng og ble liggende i åtte uker. Om sommeren var det Cecilias tur, det var ikke så alvorlig, men om høsten fikk Tore hjernehinnebetennelse, det var verre. Som om ikke det var nok, ble husherren selv innlagt på sykehus samme høst – og gjennomgikk en prostataoperasjon.

Likevel var det et godt år – for *dikteren* Hamsun. I mars reiste han til Valdres og la seg inn hos sin gamle venn Erik Frydenlund. Han skrev på en fortsettelse av *Landstrykere*, og det gikk strykende.

«Jeg sitter ute på trappen hver dag enten det sner eller ei,» forteller han Marie.

«Har hansker på når jeg skriver og er ellers også ren eskimo. Skriver med blyant, overfører siden. Får 3–4 timer luft på den måte og sover svært ... Det går riktig godt fremover med boken ... Det hele er et angrep på industrien, men om jeg har greid det rent dikterisk, det er det det spørs om.»

Leserne mente tydeligvis det.

August utkom samme høst og ble en nesten like stor suksess som *Landstrykere*. Før jul var den solgt i 25 000 eksemplarer og oversatt til ni språk.

I denne romanen kommer «den nye tid» for alvor til Polden, og det er selvfølgelig August som leder an. Stedet får posthus, bank og fabrikk, og August overtaler bøndene til å plante juletrær (!) på fruktbar mark. Det må gå galt. Bygda blir rammet av hungersnød, og det er August som får skylden.

Budskapet er klinkende klart, og det er lagt i munnen på bonden Ezra, en av de få som ikke har latt seg rive med av de gale påfunnene til August.

Det er ikke et menneske på jorda som kan leve av banker og industri, slår Ezra fast.

«Av tre ting lever de. Av kornet på marken, av fisken i sjøen og av dyr og fugl i skogen. Av de tre ting.»

Og forfatteren er ikke nådig i sin dom over August.

Han reiste en by som det ikke var føde til og en fabrikk uten maskineri. Hadde han ikke hatt den beste vilje? Jo, men denne utsending for mekanikk og industri arbeidet ufruktbart ... han holdt sitt inntog med en skøytelast gold mat, død mat, hermetikk.

Men selv om August til slutt sitter alene igjen i ruinene av den fabrikken han planla å reise, så er det han som skaper liv og røre i boka. Det er han, ikke Ezra, som er Hamsuns nærmeste slektning. August oppfører seg kanskje tåpelig, men det er ham Hamsun har tapt sitt hjerte til – herren til Nørholm, den verdensberømte dikteren, den dypt konservative samfunnskritikeren, 71-åringen som snart skulle vise tenner og gi sin støtte til et politisk system der typer som August neppe vil ha blitt hilst velkommen.

VII

Dikterstuen (1930–1940)

Han tenner pipa, bøyer seg over papirene. Det er dunkelt i rommet.

Han sitter i «dikterstuen» på Nørholm. Veggene er tapetsert med bøker. På tvers i værelset har han også satt opp bokhyller. Han reiser seg, vandrer langs med hyllene, stryker pekefingeren over bokryggene, setter seg igjen, griper om pennen. Før kladdet han alltid med blyant og renskrev med penn. Nå har han lagt blyanten vekk. Han skjelver på hånden. Denne skjelvingen har plaget ham helt siden han fylte 60, nå er han godt og vel 70, og det blir verre og verre. Han må bruke den venstre hånden til å holde den høyre med for i det hele tatt å kunne skrive.

Dårligere og dårligere hører han også. Marie må rope til ham – selv om de er i samme rom. Likevel er han var for lyder, han tåler snart ingenting, nervene er tynnslitte, han er deprimert, depresjonsperiodene melder seg med stadig kortere mellomrom, og de varer lenger. Han gleder seg ikke over noe mer. Han bøyer seg over skrivebordet.

Hvorfor er det slik?

Han vet det og vet det ikke.

Han hater tanken på å bli gammel. Han har alltid hatet alderdommen. Det er nesten ikke til å holde ut. Han kan like gjerne legge seg ned å dø med en gang. Hans tid er omme. Burde han ikke akseptere det, burde han ikke være tilfreds med det han har utrettet i livet?

Han har oppnådd den berømmelsen han lengtet etter da han var ung. Han er far til fem barn. Datteren Victoria er for lengst en voksen kvinne, og de andre, barna han har med Marie, de er også snart på vei ut av redet. Tore vil bli

Knut Hamsun i dikterstuen på Nørholm. Er det en av Augusts mange bravader han sitter og pønsker ut?

maler, påstår han. Det synes ikke faren noe om, men de unge må jo selv bestemme over sitt liv. Det er deres eget liv.

Han er glad i barna sine. De er de store lyspunktene i hans liv. Barna, det er den siste glede – det skrev han en gang i en bok for mange år siden, og nå planlegger han å la denne tanken på nytt bli et viktig budskap i en ny roman.

Han bøyer seg over papirene igjen. Men han klarer ikke å konsentrere seg. Tankene flyr i alle retninger. De tynnslitte nervene og den mørke sinnsstemningen har selvsagt også noe med forholdet til Marie å gjøre. Det er ingen solskinnshistorie lenger, nei, det er det sannelig ikke. Til tider er det rent ut sagt det rene helvete. De har glidd fra hverandre, og avstanden blir større for hver dag. Det har noe med aldersforskjellen å gjøre, det er over tjue år mellom dem, han vet det, men han har vanskelig for å innrømme det overfor seg selv. Kanskje er det slik at hun alltid har villet noe annet, et annet liv, en annen mann? Hun gir uttrykk for ønsker han ikke kan oppfylle. Hun trenger seg på ham, men jo mer pågående hun er, jo mer trekker han seg tilbake. Han går i sin egen verden, vandrer omkring på eiendommen, tilbringer dagene i «dikterstuen», dette skuret han har latt bygge skrått overfor hovedbygningen.

Er forfatterskapet når alt kommer til alt hans siste glede?

Glede?

Det er en gift, en drift, han kan ikke la være.

Det kakler utenfor vinduet. Han prøver å overhøre den forferdelige kaklingen, den rasper som piggtråd langs nervene.

Han springer opp.

– Hvem f … har sluppet ut hønene!!??

Han løper ut, gir det kaklende uvesenet et kraftig spark. Sparker på nytt og på nytt, styrter inn igjen, etterlater seg en livløs klump av blod og fjær på bakken.

I det fjerne hører han Marie rope.

– Hva er det som står på nå igjen, da?

*

Det gnistret ofte mellom ektefellene. Marie var ikke den som la skjul på sine meninger. Knut tiet, tiet og vendte ryggen til, gikk sine egne veier. Det hendte han gav henne medhold, på sett og vis forstod han henne. Fortsatt var hun *hans* Marie, prinsessen. Når han reiste vekk og tok inn på hoteller og pensjonater i småbyene i nærheten, skrev han alltid til henne, klaget sin nød, men erklærte samtidig at han fortsatt elsket henne.

Når konfliktene spisset seg til, var det nesten alltid Marie som måtte gi seg. Hun var sørgelig klar over at hun var gift med en følsom og stivsinnet mann, en *dikter*.

Diktningen var Hamsuns demon, den drev ham videre, den holdt ham i live – men den krevde alt av ham. For den måtte alt annet vike.

Marie *visste* at det var slik. På sett og vis godtok hun det også. Men hun ble bitrere med årene. Livet på Nørholm var som et fangenskap. Flere ganger var hun på nippet til å bryte ut. De diskuterte skilsmisse. Knut var så asosial og innadvendt, det var nesten ikke til å holde ut. Det hendte hun klaget sin nød til venner av Hamsun, venner som hun trodde kunne forstå henne.

«Alle mennesker er etterhånden blitt ham likegyldige. De vil muligens ikke skjønne at et menneske kan forandre seg slik … Hans arbeide er hans eneste venn, hans eneste kjærlighet.»

Marie var reiselysten. Med unntak av turen til Stockholm i 1920 hadde hun og Knut ikke vært på en eneste utenlandstur sammen. Nå lot Hamsun seg overtale – eller var det hans egen idé?

Operasjonen i 1930 hadde tatt på. Legen hadde anbefalt ham å ta det med ro i årene framover og gjøre noe annet enn det han pleide å gjøre, noe som kunne lede tankene hans i andre retninger.

Like over nyttår i 1931 la Hamsun ut på en lengre reise sammen med Marie, Tore og Tores lærer. Turen gikk med tog sørover i Europa – gjennom Tyskland, Sveits, Italia. Den 19. januar krysset de den italiensk-franske grensen. Til slutt kom de til Nice. Her ble de noen dager. Hamsun var stort sett gretten og irritabel på hele reisen, kranglet med tollfunksjonærer og oppførte seg som et stort barn. På hotellet i Nice nektet han å snakke annet enn norsk med tjenerne. De forstod selvsagt ikke et eneste ord, men det så ikke ut til at Hamsun tok seg nær av det. Men da han drog, gav han dem tips i overflod.

Reisen var en påkjenning. På Rivieraen fikk Hamsun influensa og satt og frøs i tre par bukser under palmene. Han gledet seg til å komme hjem. Palmer og appelsintrær hadde han sett før, han skulle holde seg i Norge heretter. Reisen føltes mest som et kjedelig avbrekk i skrivingen. Straks han var hjemme på Nørholm brøt han opp igjen og drog til Kristiansand, deretter til Lillesand. Her skrev han romanen ferdig, den siste boka om August, *Men livet lever*.

Romanen utkom samme høst. August er blitt gammel nå, og han har skiftet jaktmarker – handlingen er lagt til Segelfoss – men selv om August trekker på årene, er han like aktiv og energisk som før. Forelsker seg gjør han også, i en ung pike som utnytter ham og driver gjøn med ham. Og August lar seg utnytte. I kjærlighet har han aldri hatt særlig hell.

Men livet lever er like morsom som de to første romanene i *Landstryker*-trilogien, men handlingen truer av og til med å gå i stå. Til slutt setter August i gang med sauedrift i stor stil. Det blir hans endelige skjebne. På en fjellvei, med bergvegg på den ene siden og bratt stup på den andre, kommer flokken mot ham. August blir drevet utover stupet av sine egne sauer. Alltid har han satt prosjekter i gang. Det siste prosjektet koster ham livet.

Men mannen bak August hadde ikke sagt sitt siste ord. Hamsun fylte 74 år samme år som *Men livet lever* utkom, men han hadde planer om å skrive flere romaner. Rastløsheten var om mulig enda mer påtrengende enn før. Barna hadde flyttet hjemmefra. Det var øde og stille på Nørholm. I årene som fulgte reiste Hamsun som aldri før. Våren 1934 drog han på nytt til Frankrike – for å besøke Arild og Ellinor som oppholdt seg der. Og det ble flere reiser, alene eller sammen med Marie, som oftest alene. Mange ganger kunne han forsvinne fra Nørholm og bli borte i dagevis uten å si fra. Så kom han tilbake – like taus som han drog, og uten et ord til forklaring.

Marie skummet av raseri.

*

Hamsun gikk sine egne veier i 1930-årene. Også som forfatter og samfunnsmenneske kom han i utakt med sin tid. En konservativ mann hadde han vært det meste av sitt liv. Det moderne demokratiet hadde han aldri hatt sans for. Sosialistene hadde han hatet som pesten. Nasjonal patriot hadde han vært på sin hals. Bonden hadde han lenge oppfattet som ryggraden i samfunnet. Industriutbyggingen hadde han mislikt sterkt, og industrilandet England hadde han avskydd hele sitt liv. Tyskland hadde vært *hans* land – allerede fra ungdommen av – og under første verdenskrig hadde han støttet tyskerne av hele sitt hjerte.

I 1930-årene dukket det opp bevegelser og partier som hadde alle disse punktene på programmet, og Hamsun støttet dem fullt ut. I Tyskland kom Adolf Hitler og nazistene til makten i 1933, og Hamsun så med sympati på utviklingen der. Hamsuns gamle beundrere gremmet seg over hans rabiate politiske synspunkter. De visste ikke hva de skulle tro. Snakket nobelprisvinneren alvor, eller hadde han mistet enhver kontakt med den politiske virkeligheten?

Høsten 1935 skrev Hamsun en artikkel i Aftenposten som vakte særlig oppsikt og bestyrtelse. Året før var det startet en aksjon i Norge som arbeidet for at pasifisten og antinazisten Carl von Ossietzky, som satt i tysk fangenskap, skulle få Nobels fredspris. I artikkelen kom Hamsun med de groveste beskyldninger både mot Ossietzky og de som støttet kampanjen. Ossietzky var en landsforræder, påstod Hamsun. Det ville være en hån mot Nobels minne å gi prisen til ham. At han satt i fengsel, var mannens egen skyld. Han kunne ha forlatt Tyskland hvis han ville.

Dette stemte dårlig med virkeligheten (for å si det mildt), og Hamsun fikk svar på tiltale. Nesten alle de fremste forfatterne i Norge skrev under på et opprop mot Hamsun, og i 1936 ble Ossietzky tildelt Nobelprisen.

Da fredsprisvinneren fikk besøk av norske venner i fengselet, sa han at han tilgav Hamsun og bad dem om å skaffe til veie et eksemplar av Hamsuns siste bok. Han hadde vært en varm Hamsun-beundrer hele sitt liv ...

To år etter døde han i fengselet.

*

Hamsun var ikke den eneste nordmannen som støttet Hitler i 30-årene. Men etter hvert som flere og flere flyktet fra Tyskland, og den øvrige verden fikk nærmere rede på hvilke grusomme overgrep nazistene gjorde seg skyldig i, forandret de fleste i Norge mening.

Men én mann, og en liten gruppe av hans tilhengere, holdt fast ved Hitler som sitt store politiske forbilde. I 1933 stiftet denne mannen et nytt parti og stilte seg – som en fører i Hitlers ånd – i spissen for dette partiet. Vidkun Quisling het han, og partiet ble kalt Nasjonal Samling. Det var et antidemokratisk og antisosialistisk parti med klare rasistiske innslag. Den germanske rasen var den mest framstående av alle, og det norske folk tilhørte denne rasen, mente partiet. I sin propaganda, på møter og i partiets tidsskrift brukte Nasjonal Samling ofte gamle symboler fra vikingtiden. Partiet stilte til stortingsvalg, men fikk aldri valgt inn noen representanter, og mot slutten av 1930-årene var det ikke mange tilhengere igjen.

Men på Sørlandet hadde partiet to sikre kort. Hamsun skrev flere småstykker i partiavisa *Fritt Folk*, og i en appell foran stortingsvalget i 1936 oppfordret han det norske folk til å stemme på Quisling.

«Hadde jeg *ti* stemmer skulle han få dem. Hans faste karakter og ubøyelige vilje er god å ha for oss i denne tid.»

Marie var enda sterkere i troen på Quislings fortreffelighet enn Knut var. Ektefellene var nok uenige om mangt, men de hadde felles syn på den politiske utviklingen.

Hamsun hadde ikke ti stemmer, som alle andre hadde han bare én, men heller ikke denne stemmen brukte han. Ved valget i 1936 fikk Nasjonal Samling én stemme i Hamsun-familiens valgkrets, og det var *Marie* som slapp stemmeseddelen i valgurnen.

«Det er en av de få ting jeg er stolt av i mitt liv, skrev hun senere.»

*

Ingen kunne lenger være i tvil om hvor Hamsun stod politisk. Men til tross for at han hadde sterke meninger om politikk, var han ingen politiker. Og som dikter var det andre spørsmål som opptok ham – livet, døden, kjærligheten. Da han skrev sin artikkel om Ossietzky, var han i full sving med en roman som hadde lite eller ingenting med tidens brennende samfunnsspørsmål å gjøre. Omtrent samtidig med at han skrev valgappellen i *Fritt Folk*, la han siste hånd på *Ringen sluttet*. Den ble lagt ut til salg 1. oktober 1936.

Ringen sluttet ble Hamsuns siste roman, og denne hans siste er den mest pessimistiske av alle. Hovedpersonen Abel Brodersen er den geskjeftige Augusts rake motsetning. Som August har han rett nok fartet omkring i verden – fra Australia til Amerika – men han har ingen planer og ingen vilje. Likegyldig driver han omkring og lar verden seile sin egen sjø. Alle vil bli til noe, men Abel vil ikke.

«Alle ble noe, men bare så meget som de andre, ingen mere … Vi skal være likegyldige og likeglade med alt sammen, så går tiden …»

Det heter om Abel at han hadde en guds likegyldighet med hvordan det gikk med ham. Han kan tåle, han kan unnvære, han higer ikke etter noe. Han bryr seg ikke. Etter å ha fartet omkring i verden, slår han seg ned i hjembyen, bor i en brakke og lever et liv som lasaron. Abel er den siste av Hamsuns mange landstrykerfigurer. Han er *Sult*-helten på vrangen. *Sult*-helten *ville* noe, han ville opp og fram, han ville bli dikter. Abel er viljeløs.

Likevel, eller nettopp derfor, er han en like stor gåte som sine forgjengere. Hvem er han egentlig?

– Vi andre blir det lille vi blir fordi vi er så alminnelige. Han er fra et grenseland som er ukjent for oss.

Ringen sluttet ligner en roman, skrevet av en mann som har gitt opp troen på alt. Alt menneskelig strev er nytteløst. Best har *den* det som har gitt opp alt og lar livet gå sin skjeve gang uten å bekymre seg om den dag i morgen. Det er mye østlig livsvisdom i denne boka, men Hamsun forkynner ingen religiøs eller filosofisk lære. Livet er meningsløst, derfor kan alt være det samme. Det er Hamsuns siste ord som romanforfatter.

I *Ringen sluttet* finner vi igjen så godt som alle de motivene Hamsun har tatt opp i sitt forfatterskap, også kjærligheten. Men som elsker er Abel like tiltaksløs som han er på andre områder. Han har sluttet å drømme om kjærligheten; kvinnene oppsøker ham, og uten det store engasjement går han i seng med dem.

Tittelen tyder på at Hamsun hadde tenkt å avrunde forfatterskapet sitt med denne boka. Selv så han på den som sin beste og viktigste bok. Det skrev han i alle fall i Gyldendals julekatalog:

«*Ringen sluttet* er både som fantasi og tanke det beste jeg har gjort. Jeg tror nok leseren kan gå ut fra at jeg har litt skjønn på det.»

*

… så går tiden.

Hamsun blir mer og mer tunghørt, dårlig til beins, isolert. På Nørholm sitter han for det meste på rommet og legger kabal. Så griper rastløsheten ham. I 1938 legger han ut på en ny lang Europa-reise, i flere måneder oppholder han seg sammen med Tore i Italia og Jugoslavia. Han har til og med planer om å reise til Amerika … Men vel hjemme på Nørholm bryter han opp og flytter inn på Bondeheimen i Oslo. Her blir han boende i flere måneder – ensom, bitter, deprimert. Han vandrer omkring i de samme gatene som han gjorde vinteren 1880. Seksti år er snart gått. Hamsun støtter seg på staven. Det går saktere enn før. Vandreturene blir færre og kortere. For det meste sitter han på hotellværelset og sturer. Ingen besøker ham, og selv tar han bare en sjelden gang kontakt med noen.

Han går inn i seg selv. Det er døden som opptar ham. Livet nærmer seg slutten. Som et dyr søker han ensomheten for å legge seg ned å dø.

Men døden kommer ikke alltid når man venter den …

4. august fyller Hamsun åtti år. Noen uker senere, 1. september 1939, marsjerer Tyskland inn i Polen. Tre dager etter erklærer England og Frankrike Tyskland krig. Den andre verdenskrig bryter ut.

Stort og smått griper inn i hverandre. Senere på høsten gifter tre av barna seg i rask rekkefølge, Tore i Oslo, Cecilia i København, Ellinor i Berlin.

Knut og Marie drar til København og feirer datterens bryllup. Knut vender tilbake, Marie drar sørover, invitert av det tyske propagandaministeriet, hun skal på turné, lese opp fra ektemannens bøker.

Hamsun har alltid vært en populær forfatter i Tyskland. Nazistene elsker ham også. Bøkene hans kommer i nye utgaver. Soldatene leser ham ved fronten – i skyttergravene, mens granatene slår ned rundt dem – de leser om Glahn og sommerens evige dag, om Johannes og Victoria, om Isak som bryter land, om August med gulltennene …

Publikum strømmer på til Maries opplesningsaftener. Nazitoppene behandler henne som en internasjonal berømthet. Hun er i sitt ess.

26. november skriver hun begeistret hjem til Knut:

«Jeg har fått et overveldende inntrykk av enigheten, offerviljen og tilliten til Hitler. Jeg har vært ved fronten og snakket med soldatene, de var som barn så sikre og i strålende humør i vissheten om at føreren vet og kan alt. Ingen tysker tviler på at England skal og vil tape. Jeg har det bra, det går fint overalt, fulle hus overalt. Alle ber meg hilse deg!»

På Nørholm sitter hovedpersonen i dikterstua og legger kabal.

*

Den første krigsvinteren går sin gang. 16. februar 1940 søker et tysk skip med engelske krigsfanger ly i en norsk fjord. En britisk jager følger etter båten, border den og setter fangene fri. Den norske regjeringen protesterer, men foretar seg ellers ingenting. Hamsuns englandshat flammer opp. I en artikkel i *Fritt*

Folk 30. mars advarer han mot «bulldogen i vest» som ligger og lurer på oss. Han ønsker seg støtte fra Tyskland.

Den støtten kom hurtigere enn både han og de fleste andre ventet. 9. april invaderte tyske soldater Norge. Quisling og Hamsun hadde fått det som de ville. Nobelprisvinneren ønsket okkupasjonstroppene velkommen og så med sorg og forundring på at dårlig utrustede norske soldater satte seg til motverge. De burde vite bedre, tenkte Hamsun, de burde forstå at tyskerne var kommet for å verne oss mot angrep fra engelskmennene. Og dessuten – de *måtte* vite at de kjempet et tapt slag.

4. mai rykket han inn en artikkel i avisen *Fritt Folk*.

«Nordmenn!

Da englenderne i sin uhyre villskap trengte inn i Jøssingfjord og krenket vår selvstendighet da gjorde dere ingenting. Da englenderne siden la miner langs vår kyst for å føre krigen inn på norsk jord da gjorde dere heller ingenting.

Men da tyskerne besatte Norge og hindret at vi fikk krigen inn i landet – DA gjorde dere noe: Dere rottet dere sammen med vår rømte konge og hans private regjering og mobiliserte.

Det er til ingen nytte at dere har fått fatt i hver deres børse og står og tygger skum mot tyskerne, i morgen eller en annen dag blir dere bombet.

England er ute av stand til å hjelpe dere uten med noen småflokker hist og her som streifer opp igjennom dalene og tigger om mat.

NORDMENN! Kast børsa og gå hjem igjen. Tyskerne kjemper for oss alle og knekker nå Englands tyranni mot oss og alle nøytrale.»

*

Det var klare ord for pengene. Kast børsa og gå hjem! Med disse ord kastet Hamsun sitt lodd. Bordet fanget. Nå var det for sent å snu.

Teppet gikk opp for siste akt i dramaet om Hamsuns liv.

VIII
Siste kapittel (1940–1952)

Den hvite kittelen skjærer ham i øynene. Ansiktet er strengt. Hendene ligger foldet på skrivebordet.

Hamsun bøyer hodet, sitter med halvlukkede øyne og stirrer i gulvet. En bleik sol kaster sine siste stråler inn gjennom vinduet på Vinderen psykiatriske klinikk. Det er sent på dagen, en novemberdag i fredsåret 1945. Timene snegler seg av sted.

Han føler seg innestengt. En klokke slår tre slag. Han fomler i lomma etter pipa, bøyer seg over papirene som ligger foran ham. Han kan knapt se hva han selv har skrevet.

Han løfter blikket og ser mannen bak skrivebordet rett inn i øynene.

«Guddommelig galskap,» sier han, «Brandes har kalt det guddommelig galskap.»

Hva mener Hamsun om seg selv, spør mannen i den hvite kittelen, han har vel i årenes løp gjort seg opp noen tanker om hva slags menneske han er? Har han alltid vært aggressiv? Og sårbar? Og tror han i så fall at det kan henge sammen med opplevelser han har hatt i sin tidlige barndom?

Hamsun vet ikke riktig hva han skal svare. Forholdene i hjemmet var som hos bønder flest, han følte seg ikke særlig bundet til noen av foreldrene. Faren var snill, han hadde tillit til ham, men morbroren Hans Olsen var en plage-ånd. I årevis gikk han på tærne for ham. Fortsatt går han med merker etter at onkelen kløp ham.

– Hvilke andre karakteregenskaper vil De si at De har, spør mannen bak skrivebordet.

– Er De mistenksom, egoistisk, gavmild eller gjerrig? Sjalu? Har De en utpreget rettferdighetssans? Er de logiker? Er De følsom eller kald av natur?

Hamsun svarer:

«Jeg har ikke på annen måte analysert meg selv enn ved i mine bøker å ha skapt flere hundre forskjellige skikkelser – hver især spunnet ut av meg selv, med mangler og fortrinn som diktede personer har ... Fra jeg begynte tror jeg ikke det finnes i hele min produksjon en person med én hel, rettlinjet herskende evne. De er alle uten såkalt «karakter», de er splittet og oppstykket, ikke gode og ikke onde, men begge deler ... Det er meget mulig at jeg er aggressiv, at jeg kanskje har litt av alle de egenskaper professoren antyder ... Men jeg vet ikke å kunne gi overvekten til noen av dem hos meg selv ...»

Hamsun stanser et øyeblikk, tenker seg om, professoren venter spent ...

«Til det som utgjør meg kommer hertil den nådegave som har satt meg i stand til å skrive mine bøker. Men den kan jeg ikke «analysere». Brandes kaller det *guddommelig galskap.*»

*

Hamsun kom til Vinderen 15. oktober 1945. Her skulle han mentalundersøkes. Myndighetene hadde bedt legene om å finne ut av om han kunne regnes som ansvarlig for sine handlinger under krigen eller ikke. Undersøkelsen ble i hovedsak gjennomført i form av en rekke lange samtaler mellom Hamsun og de to legene Gabriel Langfeldt og Ørnulv Ødegård.

Nå var regnskapets time kommet. Hamsun hadde støttet tyskerne under krigen. Da Norge ble okkupert, var Hamsun vel 80 år gammel. Høsten 1945 hadde han passert de 86. I årene som lå imellom, hadde han hatt flere slagtilfeller. Allerede før krigen var han så godt som døv.

Hva hadde han visst, hva hadde han hørt og lest om det som skjedde under krigen? Hadde slagtilfellene gjort ham senil? Var han tilregnelig? Kunne han trekkes til ansvar for sine uttalelser?

Det ble reist tiltale mot Hamsun under rettsoppgjøret etter krigen, og det var slike spørsmål myndighetene og hele det norske folk stilte seg.

Myndighetene måtte foreta seg noe. De forsøkte å vri seg unna. De håpet i det lengste at det lot seg gjøre å erklære dikteren for utilregnelig.

Men så lett gikk det ikke.

*

Om Hamsuns holdninger under krigen hersker det ingen tvil. Han støttet nazistene, han hadde sympati for deres politiske ideer, og han var sikker på at den tyske okkupasjonen var til det beste for Norge, slik den internasjonale situasjonen nå engang var. Det meste av krigen holdt han seg hjemme på Nørholm, satt ensom og isolert på værelset sitt, la kabal, sturet, grublet ...

Marie, Tore og Arild var også nazivennlige. Især var Marie sterk i troen. Det var fra dem den døve oldingen fikk sine opplysninger om krigens gang.

Tyskerne gjorde hva de kunne for å bruke ham i sin propaganda – både i Norge og Tyskland. Hamsun ville helst være i fred. Marie inviterte tyske offiserer hjem til Nørholm. De ville gjerne hilse på den verdensberømte dikteren. Men Marie måtte mase for å få ham vekk fra kabalen, og så snart Hamsun kunne, forsvant han igjen.

Men han *lot* seg bruke, og han skrev flere innlegg og artikler i den nazikontrollerte pressen *uten å ha blitt bedt om det*. I løpet av krigen ble det i alt til rundt tjue kortere eller lengre innlegg, der han støttet og forsvarte nazistenes politikk.

Da tyskerne besatte Norge, utropte Quisling seg selv til statsminister og befalte de norske soldatene å overgi seg. Etter kort tid måtte han trekke seg, men om høsten utnevnte den tyske okkupasjonsmakten ti statsråder fra Nasjonal Samling som stod direkte under Quislings ledelse som partifører. Nå oppfordret Hamsun det norske folk til å stille seg samlet bak Quisling. I artikkelen innrømmet han at han hadde mottatt en rekke brev der han ble kalt et svin og en forræder, men det tok han ikke så tungt. Han hadde sine meningers mot og var overbevist om at alt hva han sa og gjorde var til Norges beste.

I oktober reiste han sammen med Arild til Tyskland for å møte Ribbentrop, en av toppsjefene i det tyske nazipartiet. Det ble ikke noe av dette møtet, det første av flere framstøt fra Hamsuns side som sjelden eller aldri førte til resultater. I januar 1941 oppsøkte han, sammen med Tore, den tyske overkommandanten i Norge – Reichskommissær Josef Terboven – i hovedkvarteret hans på Skaugum. Dette var det første av flere møter. Hamsun mis-likte Terboven fra første stund, men han forsøkte så godt han kunne å legge skjul på sin motvilje.

Nå var ikke Hamsun den mann som pleide å legge bånd på seg. Han sa hva han mente – både til høy og lav. Men ærendet tilsa at han lå lavt i terrenget. Samtalene med Terboven kom uten unntak i stand på Hamsuns initiativ. Målet var å få satt fengslede nordmenn fri. Møtet i januar 1941 gjaldt forfatteren Ronald Fangen som nylig var satt inn. Etter seks måneder slapp han ut – men det var lang tid for den utålmodige Hamsun.

Om det var Hamsuns fortjeneste at han ble løslatt, er det umulig å si noe sikkert om, men utenkelig er det ikke.

I løpet av krigen fikk Hamsun en rekke henvendelser fra venner og slekt-ninger til dømte og fengslede motstandsfolk, og han *forsøkte* å hjelpe dem. Han skrev og telegraferte til Terboven, i enkelte tilfelle direkte til Hitler selv. De høye herrer ble etter hvert lei av maset til den stedige oldingen. Men også de la som regel bånd på seg. Hamsun var den eneste forfatteren av virkelig stort format som støttet dem, og de ville gjerne beholde ham som forbunds-felle.

*

Det brenner på peisen. Mennene hilser høflig, men formelt på hverandre. Hamsun blir budt plass ved et lavt bord borte ved peisen. Her setter han seg ned sammen med tolken Holmboe. Verten setter seg også – sammen med sin sekretær. Samtalen kan begynne.

«Hvordan arbeider De?» spør Hitler. «Selv foretrekker jeg å skrive om kvelden.»

Tolken oversetter.

«Hva sier De?» roper den tunghørte Hamsun.

Holmboe oversetter på nytt, og Hamsun svarer i hytt og vær, forsikrer Hitler om at han har tillit til ham, vil straks gå over til et annet og langt mer brennbart emne, en sak som ligger ham på hjertet, en av hovedgrunnene til at han befinner seg her. Det er Terboven han vil snakke med Hitler om, denne tosken som aldri vil høre på ham, en primitiv fyr som styrer Norge med jernhånd og aldri lar Quisling, Hamsuns mann, komme til orde. Hamsun nærmer seg Terboven ad omveier, men han vil hele tiden tale sak, tale politikk, ikke diktning …

«Hvordan kan det ha seg at den norske skipstrafikken skal begrenses til elver og fjorder?» spør Hamsun.

«I krig er det jo dessverre ikke mulig med oversjøisk trafikk.»

«Men dette skal jo ifølge Terboven også gjelde for framtiden?»

«Om framtiden kan man ennå ikke si noe avgjort.»

Hamsun skjelver på hånden, minen er anspent, han hever stemmen ytterligere, det dirrer i lufta, Hitler ser mellomfornøyd ut.

«Norge er den tredje største skipsfartsnasjonen i verden. Det kan ikke fortsette slik. Rikskommissæren har til og med sagt at det ikke skal finnes noe Norge i framtiden …»

«Men Norge har da fått sin egen regjering, til forskjell fra andre besatte land. Viser ikke det vår gode vilje!»

«Rikskommissærens metoder passer oss ikke,» tordner Hamsun. «De er utålelige, og så er det alle henrettelsene … Vi gidder ikke mer.»

«Rikskommissæren har en vanskelig oppgave,» repliserer Hitler.

Hamsun fordøyer svaret, men er ikke fornøyd. Holmboe merker til sin fortvilelse at Hamsun er i ferd med å hisse seg opp.

«Terboven vil ikke ha et fritt Norge …! Kommer han noen gang til å gå av?»

«Rikskommissæren er soldat, han befinner seg i Norge utelukkende av krigspolitiske grunner,» svarer Hitler surt.

«Det er ikke slik å forstå at vi er imot besettelsen … Men denne mannen ødelegger mer hos oss enn De kan bygge opp.»

«Vinner vi ikke denne skjebnekampen er det undergang for oss alle.»

Hitler har ordet, og han beholder det, belærer Hamsun om krigen og de krav den stiller til alle. Hamsun blir mer og mer irritert og utålmodig, forsøker hele tiden å avbryte. Hitler overhører ham, unnlater å svare på spørsmålene, snakker i vei om helt andre ting. Hamsun bøyer seg framover mot Holmboe og sier til ham:

«Vi taler til en vegg!»

Hitler blir synlig irritert over at Holmboe og Hamsun snakker sammen på norsk uten at replikkene blir oversatt. Hamsun stiller nye spørsmål, Holmboe oversetter, Hitler har fått nok …

«Ti stille, dette forstår De ingenting av!»

Samtalen er over, Hitler trekker på skuldrene, reiser seg fra bordet, vender ryggen til, går ut på balkongen … Hamsun fekter med armene, nekter å tro at Hitler ikke vil høre på ham.

Hitler overser ham, overhører ham, ber Holmboe om å roe oldingen ned … Nå har han for lengst fått nok … Maken til uforskammethet!

Hamsun og hans følge blir sittende noen minutter til. Så reiser de seg. Avmålt og kjølig sier de to herrer farvel til hverandre.

I flyet tilbake skummer Hamsun av raseri. Aldri mer vil han se denne mannen! Uhøflig var han, og belærende, snakket bare om seg selv, en oppblåst viktigper, en mannsling …

*

Møtet mellom Knut Hamsun og Adolf Hitler i Hitlers private feriested, «Ørneredet» i Berghof i Obersalzberg, er sagnomsust. Det er bevart referater fra møtet som gjør at vi nesten ord for ord vet hva som ble sagt. Det var ikke mange som torde å si imot Hitler under krigen. En døvhørt forfatter på 84 år fra det okkuperte Norge var en av de få …

Møtet kom til nærmest ved en tilfeldighet. På forsommeren 1943 ble Hamsun invitert som æresgjest til en stor nazistisk propagandakongress i Wien. Hamsun holdt en tale der han bekjente at han allerede fra barnsbein av hadde hatt en anti-engelsk holdning, og at han støttet Tyskland fullt ut i kampen mot engelskmennene.

«Selve den nåværende krig med dens verdensulykke kan vi takke England for. England er opphavet. England må i kne!»

Under middagen etter møtet ble Hamsun presentert for Hitlers pressesekretær Otto Dietrich og for politisjefen i Wien, Baldur von Schirach, som nettopp var kommet tilbake fra Berghof. Han antydet at Hitler kanskje ville treffe Hamsun. I utgangspunktet var ikke Hamsun særlig interessert. Han ville helst hjem, men han skjønte hurtig at dette var en kjærkommen anledning til å fortelle Hitler om den håpløse måten Terboven styrte Norge på. Hamsun ville ha fjernet Rikskommissæren, og han var naiv nok til å tro at han kunne øve press på Hitler.

Tidlig lørdag morgen 26. juni 1943 satte Hamsun og Holmboe seg i Hitlers privatfly og ble fløyet til Obersalzberg der de spiste frokost på hotellet mens de ventet på at Hitler kunne motta dem. Sett med Hamsuns øyne ble møtet dypt mislykket. Etterpå var han både skuffet og sint, avlyste alle andre avtaler og drog direkte tilbake med fly fra Wien til Oslo.

I Oslo ble han møtt av Rikskommissær Josef Terboven!

På et berømt bilde ser vi dikteren med senket hode trykke erkefienden i hånden!

*

Da Hamsun kom hjem, var han utslitt og oppgitt. Dette var den andre reisen til Det tyske rike på kort tid. I begynnelsen av sommeren hadde han vært i Berlin og besøkt datteren Ellinor. Det hadde vært en langt mer behagelig og utbytterik reise. Han hadde møtt Joseph Goebbels, den tyske propaganda-ministeren, som var en varm beundrer av Hamsun, og som hadde sørget for å arrangere en mottakelse for ham i sin egen representasjonsbolig. Møtet med Hamsun gjorde et dypt inntrykk på Goebbels. Dagen etter skrev han i sin dag-bok:

«Foran meg så jeg en fire-og-åtti år gammel hedersmann med et vidunder-lig ansikt. Den høye alders visdom var skrevet på hans panne.»

Hamsun likte også Goebbels. Da han kom hjem, og like før avreisen til Wien, sendte han ham nobelprismedaljen sin og takket ham for mottakelsen. I brevet som lå ved, skrev han:

«Nobel stiftet sin pris til belønning for siste års «idealistiske» diktning. Jeg vet ingen som så utrettelig i år etter år har skrevet og talt Europas og menneske-hetens sak så idealistisk som De, hr. Reichminister …»

*

De to reisene hadde tappet ham for krefter. Den siste hadde også tatt mye av gnisten fra ham. Han var trett, trett til døden. *Han følte at han ikke hadde mer*

Hamsun med barnebarnet Anne Marie på fanget.

han skulle ha sagt. Bitter og skuffet hadde han innsett at nazistene gav blaffen i ham. De respekterte ham ikke lenger. Hjemme på Nørholm ble han også nærmest behandlet som et barn. Det var sånn sett helt logisk at han hadde flyttet inn på et av de tomme barneværelsene. Her satt han og la kabal. Ingen snakket til ham, radio kunne han ikke høre, og når det skulle spises, slo de på vannrøret i kjøkkenet for å gi beskjed om at maten var ferdig. Fortsatt hendte det at nordmenn med dømte og fengslede slektninger kom til ham og bad om hjelp. Men han hadde tapt motet, han var så trett, så fryktelig trett, det kunne ikke nytte noe … Ingen hørte på ham mer. Men fortsatt var han overbevist om at nazistene hadde retten på sin side, og at Quisling og hans regjering tjente Norges sak.

Krigen føltes fjern, men Hamsun glemte den ikke helt. I en radioutsen-ding i mars 1944 oppfordret han norske sjøfolk på allierte skip til å mønstre av og dra hjem. I juni 1944 gikk allierte tropper i land på kysten i Nord-Frankrike og satte inn hovedstøtet mot Det tyske rike, ledsaget av bombefly som la den ene tyske byen etter den andre i ruiner. Selv da hadde ikke Hamsun gitt opp håpet.

Eller hadde han?

I alle fall erklærte han til *Aftenposten* og *Fritt Folk* at han fortsatt var helt sikker på tysk seier.

I august besøkte han en tysk panserdivisjon, i september en ubåt.

Så var det jevnt slutt.

Ved juletider 1944 fikk han et nytt slag. Vinteren og våren 1945 satt han halvt lammet på det ominnredede barneværelset i annen etasje i hoved-bygningen på Nørholm og ventet på det uunngåelige: At tyskerne skulle kapi-tulere, og at han selv skulle dø.

2. mai leste han i avisen at Hitler var død. Nå var det bare et spørsmål om dager eller timer før tyskerne ble tvunget til å kapitulere. Alle visste det. Ethvert barn visste det. Hamsun visste det også.

Mange var travelt opptatt med å løpe fra sin fortid. De visste at oppgjørets time stod nær. De visste at de hadde tapt. Hamsun løp ikke, han holdt på sitt – *to the bitter end*. Han leste notisen om Hitlers død. Han likte ikke mannen, men han hadde likevel trodd på ham. Han var en mann av ære, og en mann av ære burde æres. Mens alle andre ventet på krigens slutt, foretok Hamsun seg noe som ingen annen i sine villeste fantasier ville ha funnet på å gjøre.

Så satte han seg ned på barneværelset og skrev en minneartikkel over Adolf Hitler.

7. mai stod den på trykk i *Aftenposten* – dagen før de tyske troppene i Norge kapitulerte.

Nekrologen var på åtte linjer. Den er sterk og utvetydig, men denne mai-dagen falt den på steingrunn.

«Jeg er ikke verdig til å tale høyrøstet om Adolf Hitler, og til noen senti-mental rørelse innbyr hans liv og gjerning ikke. Han var en kriger, en kriger for menneskeheten og en forkynner av evangeliet om rett for alle nasjoner.

Han var en reformatorisk skikkelse av høyeste rang, og hans historiske skjebne var den at han virket i en tid av den eksempelløseste råhet som til slutt felte ham. Slik tørr den alminnelige vesteuropeer se på Adolf Hitler. Og vi, hans nære tilhengere, bøyer nå våre hoder ved hans død.»

Samme aften sprengte Rikskommissær Josef Terboven seg i lufta, og godt og vel en måned senere kom politiet og hentet Hamsun på Nørholm.

*

Det gikk ganske nøyaktig fire måneder fra den dagen to betjenter fra Grimstad politikammer hentet Hamsun, til han satt på toget underveis til Oslo og Vinderen. I første omgang ble han brakt til sykehuset i Grimstad. Her avgav han sin første politiforklaring.

Overfor politiet hevdet han at han aldri hadde vært medlem av Nasjonal Samling, og at han heller aldri hadde satt seg skikkelig inn i hva partiet stod for. Men han gjorde ingen forsøk på å skjule at han støttet nazistene under okkupasjonen. Han holdt fast ved det han alltid hadde sagt: at den tyske okkupasjonen var til det beste for Norge. Hvis ikke den hadde kommet, ville Norge ha blitt okkupert av engelskmennene. Samtidig påpekte han at han gjorde hva han kunne for å overtale tyskerne til å spare nordmenns liv og sette norske fanger fri. At han var uskyldig og derfor ikke kunne straffes, tvilte han ikke et sekund på. Etter eget skjønn hadde han på beste måte virket for Norges sak.

Tre dager senere måtte han forklare seg i forhørsretten i Sand. Her hevdet han at han ikke kjente til nazistenes grusomheter før han leste om dem etter krigen.

De første replikkene i siste akt av dramaet om Hamsuns liv var falt.

*

Hamsun likte seg på sykehuset i Grimstad. Han ruslet omkring, satt i oppholdsværelset og røykte sigar, forsøkte å få de andre pasientene i tale. Kortstokk hadde de også på sykehuset. Og Hamsun la sine kabaler. Noen ganger gikk de opp, andre ganger ikke. Samtidig satt rettsoppgjørets menn og grublet over hvordan de skulle legge kortene for å få den storpolitiske kabalen om landsforræderen Knut Hamsun til å gå opp.

Og dagene går …

Hamsun har så smått tatt til å skrive igjen. Kilden er der fortsatt, den springer ikke, men den risler. Ordene drypper, de drypper som fra en utett kran. Det er en slags dagbok han fører, korte notater, skisser fra en tilværelse tømt for annet innhold enn det dagligdagens små gjøremål gir: korte spaserturer, en sokk som skal stoppes, et brev som skal postes …

Han grunner over hvor lite varig alt er, hvor ubetydelig et menneskeliv er, sett i det lange perspektiv. *Om hundre år er allting glemt.* Men menneskene de strever likevel, de maser og strever for å bli husket, som om det betyr noe, det er jo forgjeves, det er bare storhetsdrømmer og forfengelighet …

Han betror sine tanker til dagboka.

«Så kloke er ikke vi mennesker, vi vil ikke oppgi illusjonen om å vare lenge. Midt i ansiktet på Gud og skjebnen prøver vi å trasse oss fram til ettermæle og udødelighet, å kysse og klappe vår egen tåpelighet, å visne ned til bunnen uten stil og holdning.»

Nei, tiden tar alt og alle. Selv var han en gang en aktet og elsket mann, en verdensberømt forfatter, hans landsmenn var stolte av ham. Nå er det smått stell både med kjærligheten og berømmelsen. Beryktet er han, en landsforræder, hans navn nevnes til skrekk og advarsel. Men hva så, spiller det i bunn og grunn noen rolle?

Nei … jo, forresten, det er én ting som plager ham. Han trodde at han stod seg så godt med barn …

«De kom jo nå og da med sine små bøker til å skrive mitt navn i, og de neiet og takket og vi var glade sammen. Nå brukes jeg til skremsel for barn. La det være som det vil med det også. Om hundre år og kanskje mindre er barnas navn sammen med mitt navn glemt.»

Men ennå er det ikke slutt. Til noen kommer døden for tidlig, til andre for sent. Ennå er ikke siste ord sagt.

2. september 1945 blir Hamsun overflyttet til Landvik gamlehjem, midtveis mellom Lillesand og Grimstad. Også her finner han seg hurtig til rette. På sykehuset hadde man på politiets befaling nektet ham å lese aviser. Forbudet står fortsatt ved lag, men han sniker seg til å lese *Grimstad Adressetidende* i kjøkkenet. Bestyrerinnen er en trivelig dame. Hun kommer med sjokolade til

ham og forsøker å overtale bibliotekaren til å låne ham bøker. Det lykkes dessverre ikke, men papir og blyant klarer hun å skaffe ham, og han fortsetter å skrible ned noen småtterier i ny og ne. Når det faller ham inn, tar han sin spaserstokk og stavrer seg ned trappene, rusler en tur i skogen, av og til møter han andre vandringsmenn, han tar hatten av, de hilser og hilser ikke …

22. september 1945 blir Hamsun innkalt til forhørsdommeren på nytt. Her blir det vedtatt å utsette saken to måneder. Hamsun er en varm potet. Myndighetene vet ikke helt hvordan de skal hanskes med problemet.

Skal han anklages for landssvik?

For å ha vært medlem av NS?

For å ha oppfordret andre til å utføre straffbare handlinger?

Tiden går, dagene går. Hamsun har falt til ro på gamlehjemmet. 13. oktober henvender riksadvokaten seg til dr. Gabriel Langfeldt på Vinderen psykiatriske klinikk. Han vil ha ham til å undersøke om Hamsun kan betraktes som ansvarlig for sine handlinger eller ikke. Den påfølgende dag blir Hamsun hentet på Landvik gamlehjem. Det er en søndag aften. Han vet ikke hva de vil med ham, hvor han skal bringes hen. De kjører ham til Arendal. Her blir han satt på toget sammen med en politibetjent. Betjenten stikker en avis i hånden på ham. Her kan han lese at han skal legges inn til undersøkelse på Vinderen. Hamsun og betjenten sitter opp hele natta. Neste morgen, mandag 15. oktober, en gang mellom 11 og 12, blir Hamsun låst inn på sykehuset.

*

Guddommelig galskap?

På Vinderen fikk Hamsun en ny fiende, og på nytt våknet dikteren til live i ham. Oppholdet ble en hard tørn for Hamsun. Han ble behandlet som en fange, og han følte seg som en fange. Døra til værelset ble låst, han fikk ikke lov til å bevege seg utendørs uten i følge med en pleier, og for å komme ut i frisk luft måtte han gjennom tre låste dører.

Langfeldt var en streng mann og gikk med stort alvor løs på den oppgaven han var blitt satt til å løse. Hamsun mislikte ham fra første stund. Likevel var han samarbeidsvillig.

Undersøkelsene startet med en gang. Langfeldt spurte om alt mellom himmel og jord, og Hamsun forsøkte å svare så godt han kunne. En lang rekke samtaler fulgte. Av og til fikk Hamsun utlevert spørsmålene på forhånd og ble bedt om å forberede skriftlige svar. Noen av spørsmålene var temmelig private.

En dag ber Langfeldt ham fortelle om ekteskapet med Bergljot og hvorfor det gikk i stykker. Han stiller også nærgående spørsmål om forholdet mellom ham og Marie. Det har åpenbart vært problematisk de siste årene, slår Langfeldt fast, og det vil han vite mer om.

Da setter Hamsun seg på bakbeina. Akkurat det spørsmålet nekter han å svare på, samme hvor hardt han blir presset. Langfeldt er misfornøyd. Han vil vite beskjed. Så beslutter han, bak Hamsuns rygg, at Marie skal hentes og forklare seg om ekteskapet. Hun sitter varetektsfengslet, men Langfeldt får sin vilje gjennom. Han går hardt inn på Marie. Alt skal hun fortelle.

Og Marie forteller …

Hun tegner et bilde av ektemannen som er alt annet enn pent. Han har vært aggressiv mot henne, han er lunefull, i det hele tatt vanskelig å ha med å gjøre. På sine gamle dager har han begynt å interessere seg for unge piker. Flere ganger har han vært henne utro …

Langfeldt nikker oppmuntrende, lytter og noterer. Marie forteller om deres samliv. Alt bretter hun ut. Hun er i god tro. Hun er bitter på Hamsun, men i denne situasjonen vil hun hjelpe ham så godt hun kan. Langfeldt har lovet henne at ingen skal få vite hva hun har fortalt – og slett ikke Hamsun selv. Etter at samtalen er over, spør hun om hun kan få se sin mann.

Hun blir ført til et tomt værelse. Hamsun blir hentet. I korridoren forteller de at han skal få møte sine frue. Han aner uråd. Hva gjør Marie her? Han ser skarpt på henne da han trer over dørterskelen, snakker sint til henne.

– Hva er det du har funnet på?

Marie ser forvirret på ham, slår øynene ned. De veksler et par ord. Knut vender ryggen til, men snur seg i døråpningen, løfter begge hender opp i hoftehøyde, ser på Marie, – og sakte, forbausende lavmælte til ham å være, faller ordene.

«Jaja, så sier jeg deg farvel, Marie, vi sees ikke oftere.»

Det er snart gått 40 år siden de satt på Theatercaféen og målte hender.

*

119 dager ble Hamsun holdt i forvaring på Vinderen. Da undersøkelsene var overstått, følte han seg som en geléklump. Langfeldt hadde nok hatt den beste vilje, men verken han eller de andre ansatte på Vinderen hadde behandlet Hamsun særlig pent.

På sitt område var Langfeldt en stor kapasitet, selv Hamsun anerkjente ham som det. Han kunne *sine* ting, men disse ting var ikke mine, slo Hamsun senere fast. Professoren kunne sine lærebøker i psykologi og psykiatri, teoriene var i orden, og han hadde forstand på mennesker. Men var det nok? For Hamsun var det ikke nok. Også han hadde forstand på mennesker. En gang hadde han forlangt at det skulle ryddes plass for en psykologisk litteratur i Norge. Men Hamsuns psykologi var en nervenes og følelsenes psykologi. Som dikter skapte han mennesker ut fra sin fantasi. Langfeldt var vitenskapsmann. Han brukte fornuften, tenkte rasjonelt, analyserte ...

Hamsun var en av de mest spennende pasientene han hadde hatt, av alle var han den største utfordringen.

Det var naturlig at Hamsun så en fiende i ham fra første dag. Han mer enn ante hvilken rolle Langfeldt var tiltenkt å spille. Faktisk *forstod* Langfeldt en god del av Hamsuns personlighet – ut fra sine egne forutsetninger. Men den 86-årige «landsforræderen» var likevel ikke snauere enn at han førte professoren bak lyset. Hva Langfeldt ikke visste, var at Hamsun i all hemmelighet satt og skrev videre på dagboka han hadde begynt på i Grimstad. For det var én ting Langfeldt var fremmed for.

Den guddommelige galskap!

*

11. februar 1946 slapp Hamsun ut av klinikken. Seks dager tidligere hadde Langfeldt og Ødegård undertegnet en 83-siders rapport, skrevet på grunnlag av de samtalene de hadde ført med dikteren. I rapporten ble Hamsun betegnet som aggressiv av natur. Samtidig understreket de to legene at han led av et sterkt mindreverdighetskompleks. I sin forklaring la de særlig vekt på de tunge barneårene hos morbroren Hans Olsen. Det var her roten til ondet lå, mente de. I rapporten pekte de også på at Hamsuns handlinger under krigen kunne henge sammen med de hjerneblødningene han hadde hatt.

Konklusjonen på rapporten er uten sammenligning en av de mest omtalte i norsk rettshistorie:

«1) Vi anser ikke Knut Hamsun som sinnssyk og antar ikke at han har vært sinnssyk i tiden for de påklagede handlinger.

2) Vi anser ham som en person med varig svekkede sjelsevner men antar ikke at det er noen aktuell fare for gjentagelse av straffbare handlinger.»

Varig svekkede sjelsevner?

Det høres underlig ut. Men det er en formulering som er vanlig i slike rapporter, vel å merke hvis det er grunnlag for det. Hadde Langfeldt og Ødegård visst hva som skulle komme til å skje, ville de kanskje ha valgt andre ord og uttrykk. I alle fall var det én person som ikke ville ha stemplet «varig svekkede sjelsevner» sittende på seg.

Han var på vei til Landvik gamlehjem igjen, og han hadde ikke lenger sånn bråhast med å dø. Det siste ord var nemlig ennå ikke sagt. Slett ikke etter det som nå var skjedd.

*

Etter at riksadvokaten hadde mottatt rapporten fra Vinderen, frafalt han tiltalen mot Hamsun. Han viste til at tiltalte var 87 år gammel og praktisk talt døv. Mannen kunne ikke settes i fengsel, og det var derfor ingen mening i å reise straffesak mot ham.

Men saken var ikke avgjort med det. *Så* billig kunne Hamsun ikke slippe. Påtalemyndigheten valgte å reise erstatningssak mot ham. De anklaget ham for å ha vært medlem av Nasjonal Samling. Partiet hadde skadd landet, og alle som hadde vært medlemmer, var pliktig til å betale erstatning – alt etter økonomisk evne. 15. mai 1946 ble erstatningskravet innlevert til Agder lagmannsrett.

Kravet var på 300 millioner kroner!

Hamsun var ikke fornøyd med at han slapp unna straffesak. Han ville gjerne ha møtt i retten for å forsvare seg. Han ville ikke bli fratatt ansvaret for sine handlinger. Etter oppholdet på Vinderen stod det ham fritt å dra hjem til Nørholm, men han valgte å vende tilbake til gamlehjemmet. Her skrev han et langt brev til riksadvokaten. Han var arg over at han ble sendt til Vinderen.

Han var ikke så gammel og senil at han ikke forstod at riksadvokaten hadde en baktanke med dette. Ved å få erklært Hamsun utilregnelig slapp man fri fra problemene. Da kunne det norske folk bevare bildet av Hamsun som den store forfatteren, uplettet av de avskyelige handlingene under krigen. Mannen var jo senil, han visste ikke hva han sa og gjorde!

Men hovedpersonen ville det annerledes. Han åpner brevet med en krass kritikk av den måten han er blitt behandlet på under oppholdet på klinikken. Så tar han fienden selv i skole.

«Han kom rustet med sine skolebøker og sine lærde verker som han hadde lært utenat,» skriver Hamsun om Langfeldt, men Hamsuns sak hadde han ingen forutsetninger for å forstå.

«Dessuten – hva skulle det hele være til? Gjaldt det å få meg erklært sinnssyk og således uansvarlig for mine handlinger? Er det denne velvilje hr. riksadvokaten ville by fram til meg? Jeg hadde allerede fra første stund i forhørsretten den 23. juni påtatt meg ansvaret for det jeg har gjort og siden hele tiden hevdet dette standpunkt uavkortet … Jeg visste jeg var uskyldig, døv og uskyldig, jeg skulle ha klart meg godt i en eksaminasjon av statsadvokaten bare ved å fortelle det meste av sannheten … Jeg har en rest av mine «varig svekkede sjelsevner» tilbake, og jeg ville først ha brukt den til å omtale et visst materiale, derpå å innbyde retten til å se på min sak med rettferdighet og intet annet enn rettferdighet.»

Ingen reaksjon. Intet svar. Hamsun visste nok at brevet ikke var til noen nytte. Men det skulle sies.

Og dagene går. Hamsun fyller 88. Saken hans er igjen utsatt. En ny høst, en ny vinter. Hamsun sitter i sitt værelse på Landvik, bøyd over sine notater. Marie sitter i fengsel. Selv er han en fri mann. Han kan gjøre hva han vil, han kan reise dit han vil, han kan dra hjem.

Men han sitter på Landvik og skriver, skriver …

Så tar han sin stokk og går …

Han venter.

Hva venter han på?

Døden?

Nei, han venter på å få høre fra myndighetene. Han ser fram til å forklare seg i retten. Det siste ord skal sies.

Om formiddagen 16. desember 1947 inntar Hamsun sin plass på anklagebenken i Sand herredsrett i Grimstad. Et kjernepunkt i rettssaken var spørsmålet om Hamsun hadde vært medlem av Nasjonal Samling eller ikke. Han hadde stått registrert som medlem fra desember 1940, men selv holdt han hardnakket fast på at han aldri hadde meldt seg inn.

Hadde noen annen meldt ham inn, eller var han blitt registrert ved en misforståelse?

Eller løy Hamsun?

Disse spørsmålene fikk retten aldri noe svar på.

'Landsforræderen' i Sand herredsrett. Til høyre Knut Hamsuns forsvarer, Sigrid Stray. I sine bøker gjorde Hamsun ofte narr av 'frigjorte' kvinner som tok seg en utdannelse. Likevel valgte han en kvinne da han trengte en advokat i 1930-årene. Sigrid Stray var til stor hjelp for Hamsun etter krigen – også på det personlige plan.

I ettertid har vi heller ikke klart å løse denne gåten. Men det meste taler for at Hamsun holdt seg til sannheten, og at han var i god tro.

I retten la imidlertid Hamsun aldri skjul på at han sympatiserte med Nasjonal Samling. Han prøvde heller ikke å bortforklare at han under krigen hadde skrevet en rekke artikler der han gav partiet sin støtte.

«Jeg prøver ikke å redusere dem, gjøre dem ringere enn de er, det kan være galt nok fra før. Tvert imot, jeg står inne for dem nå som før, og som jeg alltid har gjort.»

I sin forsvarstale la Hamsun vekt på at han var døv og isolert under krigen. Ingen hadde fortalt ham at det var galt det han satt og skrev. Han hevdet også at han hadde gjort hva han kunne for å hjelpe nordmenn som var arrestert. Han hadde «telegrafert dag og natt». Og han kunne ikke med sin beste vilje forstå at han hadde forrådt sitt land.

«Jeg var landsforræder heter det. Det får så være. Men jeg følte det ikke slik, kjente det ikke slik, og jeg kjenner det ikke slik i dag heller. Jeg har den beste fred med meg selv, den aller beste samvittighet.»

Det får så være!

Dommerne lyttet til hans ord. Talen gjorde et dypt inntrykk. Juryen trakk seg tilbake. 19. desember falt dommen. Retten fant at det ikke var ført tilstrekkelig bevis for at Hamsun hadde vært medlem av Nasjonal Samling. Likevel mente flertallet at han hadde vist vilje til medlemskap. Også det måtte han trekkes til ansvar for – selv om det forelå en rekke formildende omstendigheter. På dette punkt var juryens tale klar. Hamsun ble dømt til å betale den norske stat 425 000 kroner i erstatning. 28. desember anket Hamsuns advokat dommen til Høyesterett.

Etter rettssaken drog Hamsun hjem til Nørholm. 18. og 19. juni 1948 var anken oppe til behandling i Høyesterett. 23. juni ble dommen stadfestet enstemmig, men erstatningsbeløpet ble redusert til 325 000 kroner idet retten tok hensyn til Hamsuns opplysninger om hvor mange penger han hadde. Samme dag setter Hamsun punktum i en ny bok.

«St. Hans 1948. I dag har Høyesterett dømt, og jeg ender min skrivning.»

*

På gjengrodde stier bygger på den dagboka Hamsun begynte å skrive under oppholdet på Grimstad sykehus, og som han fortsatte å skrive på helt fram til sommeren 1948. Etter hvert kom disse notatene mer og mer til å ligne et forsvarsskrift samtidig som de handler om stort og smått for øvrig – plager og gjenvordigheter, og små gleder innimellom.

Hamsun leverte inn manuskriptet til sin advokat som brakte det videre til Hamsuns forlag, Gyldendal. Direktøren, Hamsuns gamle venn Harald Grieg, nølte. Ingen hadde skuffet ham så dypt under krigen som Hamsun, skrev han senere i sine erindringer. Men han sa seg villig til å utgi boka, selv om han syntes den lignet vel mye på et forsvarsskrift. Han reagerte på at Hamsun ikke så ut til å angre på noe som helst, men stivnakket holdt fast på sitt. Særlig sterkt reagerte han på forfatterens omtale av Langfeldt. Før en utgivelse kunne komme på tale, måtte Hamsun fjerne Langfeldts navn. Det var Griegs klare krav. Men Hamsun stod på sitt! Og slik bølget saken fram og tilbake.

9. mai 1949 skrev Hamsun til sin advokat:

«For siste gang: *Jeg tar ikke Langfeldts navn ut av min bok.*»

28. september utkom *På gjengrodde stier*. Langfeldts navn var ikke strøket!

Dikteren Hamsun seiret over sin siste store fiende. Det bildet han gir av professor Langfeldt, er skjevt og urettferdig, men det er *det* som er blitt stående i litteraturhistorien, selv om enkelte har forsøkt å nyansere det.

*

Siste ord er sagt.

Anmeldelsene av boka er overveiende positive, og Hamsun gleder seg over dem. Det verste er overstått. De første årene etter krigen hendte det at folk kom til Nørholm og kastet Hamsuns bøker over hekken og inn i hagen. Nå kommer ingen lenger. Og en og annen rykker ut til forsvar for Hamsun. Noen venner har støttet ham hele tiden – uten at de av den grunn har delt hans sympatier for Nasjonal Samling. Nå rykker andre ut og hevder at vi ikke må glemme *dikteren* Hamsun. Hans handlinger var en tragisk og skjebnesvanger feiltagelse. Men det måtte ikke rokke ved det faktum at Hamsun var en av Norges største forfattere til alle tider.

Får Hamsun kjennskap til dette?

Nei, det gjør han nok ikke. Og hva spiller det for rolle? Nittiåringen stavrer omkring på Nørholm, klamrer seg til stokken, sitter på benken foran huset, han har latt skjegget gro, det står som et hvitt fossefall nedover haken hans.

Han skal snart dø. Han har sagt sitt siste ord …?

Eller?

Hamsun hadde sagt adjø til Marie på Langfeldts kontor i januar 1946. Da falt det siste ord til henne. Og Hamsun var ikke den mann som trakk sine ord tilbake. Han nektet å se Marie mer.

Men en gang må det være nok. Våren 1950 bøyer Hamsun nakken og skriver til Marie. Og hun kommer hjem. En dag står hun i døra. Hamsun ser opp, *ser* på henne. Fire år er gått siden sist han vendte ryggen til henne på Vinderen.

– Du ble lenge, Marie. I all den tiden du har vært borte, har jeg ikke hatt andre å snakke med enn Gud.

*

Etter at Marie hadde kommet hjem, gikk det hurtig nedover med Knut. Om sommeren var han fortsatt oppegående. Nå hadde han ikke bare stokken å støtte seg til, nå hadde han også Marie.

Sakte spaserer de rundt i hagen, setter seg på benken foran hovedbygningen, et og annet ord faller, for det meste sitter de tause. Utpå høsten er det også slutt med det. En dag kommer ikke Knut seg opp av senga mer. Over jul går det mot slutten.

Natt til 19. februar 1952 døde Knut Hamsun.

Bildet til høyre: «Du ble lenge borte, Marie. I mange år har jeg ikke hatt andre enn Gud å snakke med.»

Epilog

Hamsun ble kremert og urnen nedsatt på Nørholm. Det hadde stormet omkring ham før han døde, og det fortsatte å storme etter hans død. Som ung forfatter ble han utskjelt som bløffmaker, senere ble han trykket til brystet av alle. I mange år så det norske folk opp til ham. Han var elsket og beundret som den største norske romanforfatter til alle tider. Som gammel ble han lagt for hat. Han hadde sviktet sitt folk da det gjaldt som mest, og støttet det nazistiske redselsregimet. Han var nazist av tro og overbevisning. Og han ble dømt for sitt svik.

Ble Hamsun behandlet rettferdig etter krigen?

Det spørsmålet er blitt reist på nytt og på nytt i årenes løp. Sinnene har stått i kok, og fortsatt kan vi ikke bli enige om det.

De nazistiske holdningene hans *kan* vi ikke svelge. Men vi leser ham likevel.

Var han nazist – også som forfatter? Det er et spørsmål som er blitt like heftig diskutert som det første.

Nazist?

Hva vil det si å «være nazist»?

Også i sine bøker gav Hamsun uttrykk for synspunkter som nazistene delte. Men det i seg selv er vel ikke nok til å kalle ham nazist?

Han var ingen demokrat, og han foraktet alt som smakte av sosialisme. Det hendte han gav uttrykk for rasistiske holdninger. Han mislikte det meste som hører det moderne samfunn til. Han var en mann av den gamle skole og av den gamle tid, og han så gjerne at vi vendte tilbake til den.

Alle disse synspunktene finner vi også i hans bøker. Det er ikke nazisme, men på visse punkt er det likhetstrekk. Men disse synspunktene forteller langt fra hele sannheten – verken om dikteren eller mennesket Hamsun. Han var en mangfoldig mann som hadde sans for mye av det han kritiserte.

Som dikter hevet han seg over sine egne meninger og lot fantasien seire. I bøkene hans tok alltid dikteren det siste stikket.

Og det er vel der vi står i dag.

Etter krigen er knapt noe emne blitt diskutert med et slikt glødende engasjement som «problemet Hamsun». Han er fortsatt «et problem», men hans storhet som dikter er det ingen som lenger trekker i tvil. I utlandet er han en av våre mest leste forfattere, ja, i enkelte land leses han som aldri før. Bøkene hans blir filmet, og det er også blitt laget filmer over hans liv. I dag står han og rager som den statuen han aldri ønsket å bli.

Hans liv er en roman i seg selv. Men det er romanene han selv skrev, som vil bli stående for ettertiden. Hamsun var et menneske på godt og vondt, en gåte, mener noen, kanskje det ... gåten er i så fall hans litterære genialitet. Hva berodde den på?

Han har selv gitt svaret.

Guddommelig galskap!

Knut Hamsuns verker

1877	*Den Gaadefulde*		1904	*Sværmere*
1879	*Et gjensyn*		1906	*Under høststjærnen*
1879	*Bjørger*		1908	*Benoni*
1889	*Lars Oftedal*		1908	*Rosa*
1889	*Fra det moderne Amerikas Aandsliv*		1909	*En vandrer spiller med sordin*
1890	*Sult*		1910	*Livet ivold (skuespill)*
1892	*Mysterier*		1912	*Den siste glæde*
1893	*Redaktør Lynge*		1913	*Børn av tiden*
1893	*Ny jord*		1915	*Segelfoss by*
1894	*Pan*		1917	*Markens grøde*
1895	*Ved rikets port (skuespill)*		1918	*Sproget i fare*
1896	*Livets spil (skuespill)*		1920	*Konerne ved vandposten*
1897	*Siesta (noveller)*		1923	*Siste kapitel*
1898	*Aftenrøde (skuespill)*		1927	*Landstrykere*
1898	*Victoria*		1930	*August*
1902	*Munken Vendt (skuespill)*		1933	*Men livet lever*
1903	*I æventyrland*		1936	*Ringen sluttet*
1903	*Kratskog (noveller)*		1939	*Artikler*
1903	*Dronning Tamara (skuespill)*		1949	*På gjengrodde stier*
1904	*Det vilde kor (diktsamling)*			

Flere bøker er også blitt utgitt etter Hamsuns død, bl.a.:

Samlede verker 1–15 (1954–1956)   *Lurtonen* (1995)
På turné (1960)   *Romanen om Reban* (1997)
Livsfragmenter (1988)   *Hamsuns polemiske skrifter* (1998)
Over havet (1990)   *En Fløjte lød i mit Blod* (2003)
Knut Hamsuns brev 1–7 (1994–2001)

Tidstavle

1859	Knut Pedersen født 4. august i Vågå, Gudbrandsdalen.
1862	Familien Pedersen flytter til Hamarøy i Salten.
1868	Knut kommer i huset til morbroren Hans Olsen.
1874	Knut flytter fra morbroren. Drar til Lom hvor han arbeider som medhjelper i gudfaren, Torsten Hestehagens, butikk. Konfirmeres i Lom kirke 4. oktober. Reiser tilbake til Hamarøy.
1876	Reiser blant annet omkring som kramkar i Nord-Norge. Kommer i skomakerlære i Bodø.
1877	Blir tilsatt som kretsskolelærer og senere som lensmannsbetjent i Bø, Vesterålen. *Den Gaadefulde* utkommer.
1878	*Et gjensyn* og *Bjørger* utkommer.
1879	Mottar et større pengebeløp fra handelsmann Zahl på Kjerringøy. Forlater Nord-Norge. Oppholder seg om høsten i Øystese, Hardanger, der han skriver på fortellingen *Frida*. Drar til København i desember og oppsøker Gyldendal Forlag. Får manuskriptet refusert.
1880	Besøker Bjørnstjerne Bjørnson på Aulestad. Slår seg ned i Kristiania, leier et værelse i Tomtegaten 11. Lever på sultegrensen. Får tidlig på sommeren arbeid som slusk ved et veianlegg på Toten.
1882	Slutter som veiarbeider. Drar til Amerika i begynnelsen av året. Møter professor Rasmus B. Anderssen i Madison, Wisconsin. Er beskjeftiget med ulike typer arbeid. Holder litterære foredrag.
1884	Ansatt som sekretær hos Kristofer Janson i Minneapolis. Blir syk og reiser hjem til Norge om høsten. Drar til Aurdal, Valdres, for å komme til krefter.
1885–1886	Pendler mellom Aurdal og Kristiania. Får publisert diverse artikler og holder litterære foredrag. Reiser i august 1886 tilbake til Amerika.
1886–1887	Arbeider i ulike yrker, blant annet som sporvognskonduktør i Chicago. Gjenopptar kontakten med Janson. Holder litterære foredrag.
1888	Forlater om sommeren Amerika for godt. Går i land fra amerikabåten i København i juli. Blir kjent med brødrene Brandes og ekteparet Skram. Skriver på *Sult*. Et utdrag publiseres anonymt i tidsskriftet *Ny Jord*.

1889	Utgir *Fra det moderne Amerikas Aandsliv*, som bygger på to foredrag i Studentersamfundet i København. Får trykt diverse kronikker og artikler i norske aviser. Bor vekselvis i København og Kristiania.
1890	Skriver ferdig *Sult* som utkommer om sommeren. Slår seg ned i Lillesand. Skriver programartikkelen «Fra det ubevidste sjæleliv». Arbeider på tre litterære foredrag.
1891	Reiser på turné til en rekke byer i Norge med foredragene der han går til kraftig angrep på den etablerte norske diktningen og krever plass for en ny, psykologisk litteratur.
1892	Avslutter turneen i Kristiansund der han blir boende om våren og skriver på *Mysterier*. Flytter til København, senere til Samsø.
1893	Drar til Paris og flytter inn på hotell i Rue de Vaugirard. Arbeider på flere litterære prosjekter, men har også en viss omgang med andre skandinaviske kunstnere. Møter blant andre August Strindberg.
1894	Reiser om sommeren til Kristiansand der han skriver ferdig *Pan* som var påbegynt i Paris. Om høsten tilbake i Paris. Møter den tyske rikmannen og forleggeren Albert Langen.
1895	Flytter hjem til Norge. Tar inn på Balberg sanatorium i Fåberg. Innlosjerer seg senere på frøken Hammers pensjonat på Ljan utenfor Kristiania.
1896	Besøker Albert Langen i Tyskland. Bor blant annet i Valdres og Kristiania. Skriver skuespill og noveller. Skuespillene blir oppført.
1897	Bor for det meste hos frøken Hammer der han møter Bergljot Goepfert.
1898	Knut Hamsun og Bergljot Goepfert gifter seg i mai. Flytter til Aurdal i Valdres. Arbeider på *Victoria* som utkommer om høsten. Mottar stipend og reiser til Finland.
1899	Opphold i Helsingfors. Drar på en lengre reise sammen med Bergljot gjennom Russland til Kaukasus og Tyrkia.
1900	Tilbake til Kristiania i april. Hamsun reiser alene til Hamarøy umiddelbart etterpå. Oppholder seg der noen måneder. Ser sine foreldre igjen for første gang på over tjue år.
1901	Opphold i Kristiania, Ås og København. Arbeider med skildringen fra reisen til Kaukasus. Drar om høsten til Belgia og spiller bort store pengesummer på kasinoer i Namur og Ostende.
1902	Datteren Victoria blir født 15. august. Hamsun lever et hektisk kaféliv i Kristiania og København. Føler at han er i ferd med å gå i stå som dikter.
1903	Opphold bl.a. i Danmark. Utgir skuespill, noveller og reiseskildringer fra Det nære østen.
1904	Utgir blant annet diktsamlingen *Det vilde kor*. Fortsetter sitt hektiske uteliv. Ekteskapet med Bergljot slår stadig dypere sprekker.
1905	Bygger og flytter om høsten inn i eget hus i Drøbak.

1906	Knut og Bergljot tar ut separasjon kort tid etter at de har flyttet til Drøbak. Hamsun flytter inn i pensjonat på Nordstrand. Arbeider med bøkene om Knut Pedersen.
1907	Holder foredraget «Ærer de unge». Oppholder seg i Kongsberg om somme-ren. En første samleutgave av Hamsuns romaner og fortellinger utkommer i fem bind.
1908	Møter i april skuespillerinnen Marie Andersen. Bor på Kongsberg. Arbeider på bøkene om Knut Pedersen og to romaner fra Nordland.
1909	Gifter seg med Marie Andersen 25. juni.
1910	Flytter sammen med Marie til Elverum. Skriver en artikkel der han angriper «den moderne tid».
1911	Kjøper gården Skogheim på Hamarøy og flytter dit om våren.
1912	Oppholder seg vekselvis hjemme på gården og på hoteller og pensjonater rundt omkring i Nord-Norge. Sønnen Tore blir født 6. mars.
1913	*Børn av tiden* blir utgitt, den første av de to «Segelfoss-romanene».
1914–1915	Hamsun er stadig på reisefot, mens Marie passer gården. Sønnen Arild blir født 3. mai 1914, datteren Ellinor 23. oktober 1915.
1916	Hamsun averterer Skogheim til salgs. Oppholder seg blant annet på gården Kråkmo i Sagfjorden der han forsøker å komme i gang med den store bon-deromanen *Markens grøde*.
1917	Selger Skogheim og flytter inn i en villa i Larvik. Datteren Cecilia blir født 13. mai. Arbeidet med bonderomanen løsner, boka blir skrevet ferdig i september/oktober og utkommer samme høst.
1918	Reiser omkring i Sør-Norge for å finne et passende sted til seg og familien. Kjøper gården Nørholm ved Lillesand og flytter inn samme høst.
1919	Hamsun går i gang med å utbedre gården.
1920	Mottar Nobelprisen i litteratur i Stockholm 10. desember. *Konerne ved vandposten* utkommer.
1921	Foretar betydelige ombygginger og utvidelser på Nørholm.
1922–1924	Bygger «dikterstue» på Nørholm. Har lengre skriveopphold på hotell og pensjonater i blant annet Kristiansand, Arendal og Lillesand. Utgir *Siste kapitel* i 1923.
1925	Arbeider tungt og er stadig på reisefot. Føler at han er «ferdig» som dikter.
1926	Bor på Victoria hotell i Oslo og går i psykoanalyse hos Irgens Strømme. Om høsten er skrivehemningene borte, og Hamsun skriver første del av *Landstrykere*. Om høsten flytter hele familien til Bygdøy. Hamsun overtaler Marie til å gå i psykoanalyse og gjennomfører sin egen.
1927–1928	Arbeider hjemme på Nørholm og i Lillesand. Første bind i *August*-trilogien utkommer høsten 1927 og får strålende mottakelse. Oversettes straks til flere språk.

1929	Hamsun fyller 70 år og mottar hyllingstelegrammer fra hele verden. Det blir utgitt festskrift til hans ære.
1930	Tilbringer våren i Aurdal. Skriver på fortsettelsen av *Landstrykere* som utkommer om høsten. Sykdom i familien. Hamsun blir innlagt og operert for prostataproblemer.
1931	Reise gjennom Tyskland og Italia til den franske middelhavskysten sammen med Marie og Tore.
1932–1934	Rolige år. Oppholder seg vekselvis hjemme og på hoteller i sørlandsbyene. Siste bind i *Landstryker*-trilogien utkommer høsten 1933.
1935	På reise i Tyskland og Frankrike. Angriper Ossietzky i en artikkel i *Aftenposten* 22. november og får en rekke motstandere.
1936–1937	Utgir sin siste roman, *Ringen sluttet*, høsten 1936. Oppfordrer velgerne til å stemme på Nasjonal Samling ved stortingsvalget. Unnlater selv å stemme. Oppholder seg for det meste på Nørholm.
1938	Opphold i Bari, Italia, i mars, i Dubrovnik, Jugoslavia, i april–juni.
1939	Fyller 80 år. Tore, Arild og Cecilia blir gift. Den andre verdenskrig bryter ut 1. september. Marie drar på forelesningsturné til Tyskland om høsten. Skriver begeistrede brev hjem til Hamsun.
1940	Tyske soldater okkuperer Norge 9. april. I en artikkel i *Fritt Folk* 4. mai oppfordrer Hamsun de norske soldatene til å legge ned våpnene.
1941–1942	Lever for det meste tilbaketrukket på Nørholm. Skriver flere tyskvennlige artikler. Oppsøker Terboven og sender telegrammer til ham og andre naziledere der han går i forbønn for dømte og fengslede nordmenn.
1943	Reiser til Tyskland der han blant annet har et hjertelig møte med propagandaminister Joseph Goebbels. Deltar på en stor konferanse i Wien i juni og møter Adolf Hitler i «Ørneredet».
1944	Lever isolert på Nørholm. Har et slagtilfelle. Unngår helst å møte andre mennesker. Konflikter med den øvrige familien. Marie er stadig på reisefot. I mars oppfordrer han norske sjøfolk i alliert tjeneste til å mønstre av. Inspiserer en tysk panserdivisjon og en tysk ubåt om høsten.
1945	Nekrolog over Hitler 7. mai. Den tyske okkupasjonsmakten kapitulerer 8. mai. Marie og Knut settes i husarrest på Nørholm 26. mai. Hamsun overflyttes til et sykehus i Arendal 14. juni. De første politiavhørene finner sted 23. juni. Overflytting til gamlehjem i Landvik 2. september. Blir overført til Vinderen 15. oktober. Samtalene med Gabriel Langfeldt innledes.
1946	Utskrives fra Vinderen 11. februar og flytter tilbake til Landvik. Brev fra Hamsun til riksadvokaten 23. juli der han tar skarpt avstand fra den måten han er blitt behandlet på.
1947	Møter i byretten i Grimstad 16. desember. Hamsun anklages for medlemskap i Nasjonal Samling. Blir dømt til å betale erstatning. Flytter tilbake til Nørholm.

1948	Skriver ferdig *På gjengrodde stier.* Høyesterett stadfester dommen sankthansaften, men reduserer erstatningsbeløpet.
1949–1951	Lever stille og tilbaketrukket på Nørholm. Skriver til Marie og ber henne komme hjem. Fra våren 1950 tar Marie hånd om Hamsun.
1952	19. februar dør Knut Hamsun. Begraves på Nørholm.

Tips for videre lesning

Dingstad, Ståle: *Hamsuns strategier* (2003)
Ferguson, Robert: *Gåten Knut Hamsun* (1988)
Gjernes, Birgit: *Marie Hamsun* (1994)
Hamsun, Marie: *Regnbuen* (1953)
    Under Gullregnen (1959)
Hamsun, Tore: *Knut Hamsun – min far* (1952)
    Efter år og dag (1990)
Haugan, Jørgen: *Solgudens fall* (2004)
Kittang, Atle: *Luft, vind, ingenting* (1984)
Kolloen, Ingard Sletten: *Hamsun. Svermeren* (2003)
    Hamsun. Erobreren (2004)
Langfeldt, Gabriel og Ørnulv Ødegård: *Den rettspsykiatriske erklæringen om Knut Hamsun* (1978)
Larsen, Lars Frode: *Den unge Knut Hamsun* (1998)
    Radikaleren (2001)
    Tilværelsens Udlænding (2002)
Rottem, Øystein: *Knut Hamsuns Landstrykere* (1978)
    Hamsuns liv i bilder (1995)
    Hamsun og fantasiens triumf (2002)
Skavlan, Einar: *Knut Hamsun* (1929)
Stray, Sigrid: *Min klient Knut Hamsun* (1979)
Thorheim, Kirsti og Ottar Grepstad: *Hamsun i Æventyrland* (1995)